UNIVERSALE
ECONOMICA
FELTRINELLI / CLASSICI

Silvia Rota Sperti, nata nel 1975, è traduttrice di narrativa e consulente editoriale per diverse case editrici. Studiosa di letteratura angloamericana, russa e recentemente anche scandinava, ha tradotto autori come Joyce Carol Oates, Ray Bradbury, Nick Cave, Jonathan Coe, Jack Kerouac, Rana Dasgupta, Larry McMurtry, Susan Abulhawa, Anna Funder e curato l'antologia di nuovi scrittori scandinavi *Nordic Light* (Mondadori). Per i Classici Feltrinelli ha curato *Malombra* di Fogazzaro (2011), *Storia di una capinera* di Verga (2011) e ha tradotto *L'amante di Lady Chatterley* di D.H. Lawrence (2013).

OSCAR WILDE
Il fantasma
di Canterville
e altri racconti

Traduzione e cura di Silvia Rota Sperti

Titolo delle opere originali
THE CANTERVILLE GHOST
LORD ARTHUR SAVILE'S CRIME
THE SPHYNX WITHOUT A SECRET
THE MODEL MILLIONAIRE
THE PORTRAIT OF MR W.H.

Traduzione dall'inglese di
SILVIA ROTA SPERTI

© Giangiacomo Feltrinelli Editore Milano
Prima edizione nell'"Universale Economica" – I CLASSICI gennaio 2012
Quarta edizione marzo 2015

Stampa Nuovo Istituto Italiano d'Arti Grafiche - BG

ISBN 978-88-07-90057-0

FSC
www.fsc.org
MISTO
Carta
da fonti gestite in
maniera responsabile
FSC® C015216

www.feltrinellieditore.it
Libri in uscita, interviste, reading,
commenti e percorsi di lettura.
Aggiornamenti quotidiani

IL RAZZISMO
È UNA
BRUTTA STORIA.
razzismobruttastoria.net

Il fantasma di Canterville

e altri racconti

Introduzione
di Silvia Rota Sperti

Quando Wilde scrive i racconti che compongono questa raccolta è all'inizio della sua carriera letteraria. Laureatosi in materie classiche a pieni voti a Oxford e trasferitosi a Londra, ha pubblicato a proprie spese una raccolta di poesie e un paio di opere teatrali, senza grande successo. Nel 1884 sposa Constance Lloyd, dalla quale avrà presto due figli, e grazie al denaro della moglie si trasferisce nell'elegante casa di Tite Street, a Chelsea.

Il trentenne Oscar è esuberante, pieno di inventiva, in cerca di collaborazioni e di conferme per le sue poesie e i suoi scritti. Vuole indirizzare il proprio talento in una forma che possa vedere premiati i suoi sforzi e dare da vivere a sé e alla sua famiglia. Sono gli anni del boom delle riviste che pubblicano racconti e romanzi a puntate. Tutti e cinque i racconti qui presentati nascono così, tra il 1887 e il 1889, su alcune delle principali riviste d'intrattenimento londinesi – "Court and Society Review", "The World" e "Blackwood's Magazine" – per essere raccolte in volume nel 1891, a eccezione del *Ritratto di Mr W.H.* Il manoscritto di quest'ultimo, rimaneggiato in seguito dallo stesso Wilde per farne un romanzo breve, andrà smarrito all'epoca del processo e, ricomparso misteriosamente negli Stati Uniti, verrà pubblicato nella sua versione ampliata solo nel 1921.

La Londra di fine secolo vede quindi il giovane Oscar agli antipodi di quando, ormai reietto e in rovina, lo sentiremo dire ad Anna de Brémont: "Ora che conosco il senso della vita, non ho più niente da scrivere. La vita non può essere scritta: la vita può soltanto essere vissuta".

Oscar Wilde è ancora lontano dagli scandali che ne infameranno la vita e la carriera, probabilmente è lontano anche dall'aver trovato quel vero "senso della vita" che per lui si tradurrà in una scelta tanto rischiosa (per le leggi dell'epoca) quanto ben precisa. Le sue inclinazioni sessuali non tarderanno a farsi sentire, ma per il momento è sposato, ha messo al mondo due figli e nonostante il temperamento provocatorio ed eccessivo vive ancora nell'ombra dell'ipocrita bel mondo vittoriano.

I germi della sua rivolta personale e sociale sono però già tutti presenti in queste prime composizioni da molti ritenute erroneamente di secondo piano rispetto al suo *corpus* più conosciuto. Senza entrare nella polemica che colloca la *short story* tra i generi intrinsecamente "minori", ci basti ricordare che Oscar Wilde nasce innanzitutto come poeta e che resterà nei ricordi di chi l'ha conosciuto soprattutto per la sua fantasiosa e arguta dote di *storyteller*. André Gide dirà di lui che "Wilde non faceva conversazione: raccontava storie". Wilde ama raccontare storie e sa farlo bene. I suoi racconti spesso prendono spunto dalle brillanti narrative che si diverte a inventare durante le cene o gli incontri nei caffè, oltre che dai suoi modelli letterari, primi fra tutti Pater, Flaubert, Poe. Non è un caso quindi che si cimenti innanzitutto con questo genere e che, anche se in seguito la fama arriverà soprattutto con le grandi opere teatrali e i romanzi, epistolari e non, Wilde affronti la cosa con la serietà e la padronanza di un vero scrittore.

Il risultato sono dei racconti brillanti e arguti nei quali la sua dote di intrattenitore orale si traduce in un'ottima padronanza del formato narrativo e in una capacità, condivisa solo dai grandi, di travalicare le divisioni di genere. Questi racconti danno l'impressione di appartenere a un genere a sé, nel quale la fantasia, lo humour, l'ironia di chi li ha composti si impongono su facili classificazioni e preannunciano quella che sarà la sua originalissima produzione futura.

Così, *Il fantasma di Canterville* trascende il canone del racconto gotico e si colora di una brillante ironia con la quale Wilde si diverte a mettere in ridicolo sia l'ostinato pragmatismo americano sia l'aristocratico snobismo inglese. In un ribaltamento prospettico, il "povero" fantasma muove il lettore più alla compassione che all'orrore, mentre sono gli uomini a inquietarci: materialisti, ridicolmente presuntuosi e insensibili (la famiglia americana), o patologicamente terrorizzati (la domestica inglese). Tra le sue pagine troviamo quell'ironico, polemico ritratto della contemporaneità che caratterizzerà tutta l'opera maggiore di Wilde.

Lo stesso vale per *Il delitto di Lord Arthur Savile*, questo "studio sul dovere" che ci strizza l'occhio ribaltando i canoni della moralità vittoriana e denunciando tra le righe la superiorità del soprannaturale contro l'imperante materialismo dell'epoca. Il protagonista, saputo da un chiromante di essere destinato a commettere un delitto, si darà da fare in ogni modo per realizzare l'atroce (quanto burlesca) profezia. L'omicidio diventa paradossalmente il suo "dovere morale", soddisfatto il quale potrà sposarsi e vivere una vita serena e senza macchie in una società in cui i veri valori sono capovolti, contaminati.

I più brevi *La sfinge senza enigmi* e *Il milionario modello* introducono il tema, tanto caro a Wilde, della superiorità dell'arte rispetto alla vita. È la vita che imita l'arte, e non viceversa, e gli esiti possono essere sorprendenti, fors'anche tragici. Il *Ritratto di Mr W.H.* è dal punto di vista formale forse il più originale. La polemica letteraria sulla dedica dei sonetti di Shakespeare (molto in voga in quel periodo) si trasforma in una misteriosa storia di falsificazioni e suicidi, unendo realtà storica, speculazioni critiche e fiction vera e propria. Lasciando da parte le letture che vi hanno visto poco più di una dichiarazione di omosessualità da parte del suo autore, il racconto è un esperimento di genere riuscito e ben architettato, un piccolo giallo la cui mancanza di soluzione è ripagata ampiamente dalle avvincenti considerazioni estetiche e letterarie che troviamo tra le sue pagine.

Possiamo dire, quindi, che in questi racconti vividi e teneramente originali si intravede il volto del Wilde più maturo. Un uomo che, cosciente che "la vita non può essere scritta", vuole sfuggire all'arido realismo del tempo per aprirsi al fantastico, al soprannaturale, per creare mondi che reclamano la bellezza e l'incanto del sogno. Purtroppo la vita lo deluderà, come ben sappiamo. Ma i suoi scritti e le sue opere teatrali, anche quando tratteranno temi più duri e autobiografici, si manterranno sempre su un piano estetico che trascende la realtà, come per inneggiare a una bellezza immune tanto alla morale corrente quanto alle dure ingiustizie della vita. Questa è l'impressione che traspare anche dai racconti qui pubblicati.

Ma non dimentichiamoci che Oscar Wilde è un cultore dell'"arte per l'arte" e che quindi sarebbe stato allergico a troppi giudizi formali, così come a un'introduzione troppo lunga. I racconti, come il lettore capirà, vogliono innanzitutto risultare gradevoli, intrattenere. Che poi lo si sappia fare con un'arguzia, una profondità e un umorismo indelebili, pare dire Wilde con l'umiltà del vero genio, è un altro discorso.

Cenni biografici

1854

Oscar Fingal O'Flahertie Wills Wilde nasce a Dublino il 16 ottobre. Il padre, Sir William Wilde, è un oculista di fama e autore
di diversi trattati medici, oltre che un esperto di archeologia e
folclore locale. La madre, Jane Francesca Eglee, proviene da una
famiglia di letterati, scrive poesie e componimenti patriottici
sotto lo pseudonimo di "Speranza" e tiene un vivace salotto, prima a Dublino e poi anche a Londra. È lei a trasmettere al piccolo Oscar l'amore per la letteratura e una certa tendenza al-
l'eccentricità. Oscar è il secondogenito di famiglia, dopo William Charles Kinsbury (1852) e prima di Isola Emily Francesca
(1855).

1864-1874

Oscar studia alla Portora Royal School di Enniskillen, dalla quale si diploma con il massimo dei voti. Vince una borsa di studio
per il Trinity College di Dublino, dove rivela passione e talento per
le materie classiche. Nel 1874 vince un'altra borsa di studio, questa volta per il Magdalen College di Oxford, e lascia quindi l'Ir-
landa.

1874-1878

A Oxford, studia materie classiche con ottimi risultati. Comincia
a comporre e anche a pubblicare alcune poesie, nelle quali traspare l'influenza di Sir Walter Pater, che conosce di persona. Nel
1875 compie un viaggio in Italia insieme al reverendo John Pent-
land Mahaffy, suo ex professore di greco a Dublino, che pochi anni dopo sarà con lui anche in Grecia. Nel 1876 muore Sir William
Wilde, lasciando la famiglia in una difficile situazione economica. Oscar ha un tenore di vita dispendioso, che gli causerà alcuni
debiti e qualche guaio. Nel 1878 vince il prestigioso Newdigate

Prize con la poesia *Ravenna*. Si laurea e ottiene il diploma di Bachelor of Arts con il massimo dei voti.

1879-1882
Si trasferisce a Londra, in Salisbury Street, insieme al coetaneo pittore e ritrattista Frank Miles. Alcune sue poesie vengono pubblicate sulle riviste e lo scrittore comincia a farsi conoscere per le sue battute sagaci e le eccentricità, oltre che per il suo talento. Pubblica a proprie spese la sua prima commedia *Vera o i nichilisti*, che verrà allestita nel 1883 con scarso successo. Il giornale satirico "Punch" prende in giro il suo estetismo e anticonformismo esagerato con una serie di caricature. Nel 1881 esce *Poems*, la sua prima raccolta di versi, che verrà però aspramente criticata da alcuni per immoralità, inconsistenza e plagio. Le crescenti accuse di immoralità che circondano il suo personaggio spingono il padre di Frank Miles a ordinare al figlio di rompere ogni rapporto con Wilde, che si trasferisce dalla madre, nel frattempo stabilitasi a Londra.
Viene invitato negli Stati Uniti per un giro di conferenze e interviste che durerà un anno.

1883-1886
Passa cinque mesi a Parigi, all'Hôtel Voltaire. Cambia stile, lasciando da parte giacche di velluto, pellicce, girasoli e parrucche, e adottando una nuova acconciatura nello stile degli imperatori romani. Compone il poemetto *La sfinge* e la tragedia *La duchessa di Padova*. A settembre riparte per un giro di conferenze in Inghilterra e a novembre si fidanza con Constance Lloyd, dublinese di buona famiglia e più giovane di lui di tre anni. Wilde ne ammira la naturalezza e la cultura.
I due si sposano il 29 maggio 1884 e vanno in luna di miele prima a Parigi e poi a Dieppe. Si stabiliscono poi a Londra, in un'elegante casa ristrutturata in Tite Street. L'anno successivo nasce il primogenito Cyril, seguito poi da Vyvyan, un anno e mezzo dopo. Wilde scrive critica letteraria, compone poesie, pubblica su alcune riviste *Il fantasma di Canterville* e *Il delitto di Lord Arthur Savile*. La relazione con la moglie, che ha già dato segni di debolezza, comincia a incrinarsi, complici le inclinazioni omosessuali di Wilde. Lo scrittore conosce Robert Ross, allora studente diciassettenne, e frequenta anche altri amanti.

1887-1889
Diventa direttore di una rivista femminile, "The Woman's World",

incarico che durerà poco più di un anno. L'anno successivo esce il suo primo libro di favole, *Il principe felice e altri racconti*, illustrato da Walter Crane e dedicato ai figli. *Il ritratto di Mr W.H.* è pubblicato da "Blackwood's Magazine".

1890-1891

Il 20 giugno, con molto scalpore e polemiche, esce *Il ritratto di Dorian Gray* sulla rivista "Lippincott's Monthly Magazine". Esce anche *Il critico come artista*. Nel 1891 Wilde conosce il ricco rampollo scozzese Lord Alfred Douglas, all'epoca studente a Oxford, con il quale vivrà una passionale, tormentata relazione che lo accompagnerà per tutta la vita. Nel 1891 *Il ritratto di Dorian Gray* esce in volume, con l'aggiunta di sei nuovi capitoli. Escono anche *Intenzioni*, raccolta di saggi già pubblicati in precedenza, e il volume *Il delitto di Lord Arthur Savile e altri racconti*. Pubblicazione del secondo libro di fiabe, *Una casa di melograni*.
A novembre è a Parigi, dove scrive in francese *Salomè* ed è invitato in numerosi salotti. Incontra Émile Zola e André Gide, che frequenta quotidianamente. A dicembre torna a Londra, dove rompe definitivamente i rapporti con il fratello, con il quale ha dissapori da tempo.

1892-1894

Nel 1892 c'è la prima del *Ventaglio di Lady Windermere* al St James Theatre, accolta con grande successo di pubblico. L'anno dopo è la volta di *Una donna senza importanza*. Wilde è all'apice del successo. Continua la sua relazione con Alfred Douglas, che però non gl'impedirà di frequentare altri ragazzi, anche negli ambienti della prostituzione giovanile. Nel maggio del 1894 Wilde è a Firenze con Douglas, e in agosto è a Worthing, dove compone *L'importanza di essere onesto*. Gli amici cominciano a preoccuparsi per la promiscuità e la sregolatezza di Wilde, che oltretutto viola apertamente il "Criminal Law Amendment Act" del 1885, che prevede pene fino ai due anni per chi pratica l'omosessualità. Dal canto suo, Wilde soffre della relazione travagliata con Douglas, condita da sempre più frequenti litigi e riappacificazioni.

1895-1896

Prima di *Un marito ideale*. Il padre di Douglas, il marchese di Queensberry, che ha già tentato di impedire la relazione tra i due, fa pervenire a Wilde un biglietto nel quale l'accusa di "atteggiarsi a sodomita". Spinto da Douglas, Wilde denuncia Queensberry per diffamazione, e l'uomo viene arrestato il primo di marzo. In aprile, al processo, la situazione si ribalta: Queensberry viene prosciolto e Wilde arrestato per atti illeciti, complici le deposizioni di alcuni testimoni. Wilde non si decide a espatriare per sottrarsi all'arresto e viene rinchiuso nel carcere di Holloway. La giuria è indecisa, viene ordinato un secondo processo. I creditori lo costringono a svendere all'asta tutti i suoi beni, il pubblico lo abbandona, tutte le sue opere vengono tolte dai cartelloni londinesi. Dopo essere rilasciato su cauzione, lo scrittore è condannato al massimo della pena: due anni di lavori forzati. Sarà prima nel carcere di Pentonville, poi verrà trasferito a Reading.

Gli amici si schierano dalla sua parte, in Europa si firmano petizioni che chiedono una riduzione della pena. Nel 1896 muore la madre. Wilde, sempre più provato nel fisico e nell'animo, ne ha notizia in carcere dalla moglie Constance. L'arrivo di un nuovo direttore dispensa Wilde dai lavori pesanti e gli concede l'uso di carta e penna. Wilde comincia la stesura del *De profundis*, lettera confessionale a Douglas che tuttavia non può spedire.

1897-1899

Il 19 maggio 1897 Wilde viene rilasciato. Ha gravi problemi economici, viene aiutato dagli amici. Decide di partire per la Francia con il fedele Robert Ross e si stabilisce nei pressi di Dieppe. Compone *La ballata del carcere di Reading* (che uscirà anonima l'anno successivo) e si riappacifica con Douglas, nonostante le promesse fatte alla moglie e ai legali. Si trasferisce a Parigi, poi è a Napoli e in Sicilia con Douglas. I due si separano definitivamente e Wilde torna a Parigi, dove riceve notizia della morte di Constance, quarantenne, per complicazioni legate a un'operazione alla schiena. Nel 1899 esce in volume *L'importanza di essere onesto*, dedicato a Robert Ross. Wilde è ancora in viaggio: prima a Nizza, poi in Svizzera, poi a Santa Margherita Ligure. Ma nessuno è più disposto a pubblicare i suoi scritti e lo scrittore è costretto a chiedere soldi in giro e ad arrangiarsi come può.

1900

Dopo un breve viaggio in Italia, Wilde torna a Parigi. Vive in condizioni di estrema povertà. Douglas, pur avendo ricevuto l'ingente eredità del padre, non fa nulla per aiutarlo. In ottobre viene operato a un timpano, assistito da Ross. Il giorno dopo la sua situazione si complica per un'otite, forse dovuta alla sifilide. L'infezione arriva presto al cervello e, il 30 novembre, Wilde muore, all'età di quarantasei anni.

Le sue spoglie saranno trasferite al Père Lachaise nel 1909. Qualche anno dopo, le ceneri di Robert Ross verranno sepolte nella stessa tomba dell'amico, un imponente monumento a forma di sfinge disegnato dall'architetto Jacob Epstein. Sulla lapide, alcuni versi dalla *Ballata del carcere di Reading*:

> *E lacrime sconosciute riempiranno*
> *L'urna infranta della Pietà*
> *Poiché a compiangerlo saranno gli emarginati*
> *E per gli emarginati esiste solo il pianto.*

Bibliografia essenziale

La presente raccolta comprende i racconti apparsi in volume nel 1891 con il titolo di *Lord Arthur Savile's Crime and Other Stories*. Il testo di riferimento è l'edizione Methuen del 1915, a cura di David Price.

Tra le altre edizioni italiane di questi racconti, segnaliamo:

Il fantasma di Canterville e altri racconti, Giunti, Milano 2007; Mondadori, Milano 2007, con uno scritto di J.L. Borges; Einaudi Ragazzi, Torino 2009.

Il delitto di Lord Arthur Savile e altri racconti, Sansoni, Firenze 1963; BUR, Milano 2000, con un'introduzione di J. Joyce.

Il delitto di Lord Arturo Savile, Sellerio, Palermo 1993.

Il ritratto di Mr W.H., Il Saggiatore, Milano 1982; Studio Tesi, Pordenone 1992.

Opere di Oscar Wilde

Tra le principali raccolte in traduzione italiana delle opere di Wilde, segnaliamo il Meridiano delle *Opere* a cura di M. D'Amico, Mondadori, Milano 1979 e i due volumi di *Tutte le opere*, a cura di A. Camerino, Casini, Roma 1951.

Per le prime edizioni inglesi delle opere singole si veda la *Cronologia*. Tra le principali e più recenti edizioni italiane:

Intenzioni e altri saggi, BUR, Milano 1995.

Il principe felice, Fabbri, Milano 2000. *Il principe felice e altre storie*, Mondadori, Milano 2001.

Il ritratto di Dorian Gray, Mondadori, Milano 2003; BUR, Milano 2005; Garzanti, Milano 2009; Newton Compton, Roma 2010.

De Profundis, Feltrinelli, Milano 1991; Mondadori, Milano 2007.

Ballata dal carcere di Reading, SE, Milano 1999. *Ballata del carcere e*

altre poesie, Mondadori, Milano 1995. *Poesie e ballata del carcere di Reading*, Grandi tascabili economici Newton, Roma 1991.
Il ventaglio di Lady Windermere; L'importanza di essere Fedele; Salomè, Garzanti, Milano 2007.
L'importanza di essere onesto, Mondadori, Milano 1990; Tascabili economici Newton, Roma 1995. *L'importanza di chiamarsi Ernesto*, BUR, Milano 2007; Newton Compton, Roma 2010.
Salomè, Feltrinelli, Milano 2008; BUR, Milano 1997. *Salomè. Dramma in un atto*, ES, Milano 2006.
Il critico come artista; L'anima dell'uomo sotto il socialismo, Feltrinelli, Milano 2005.
Autobiografia di un dandy, Mondadori, Milano 1996.
Detti e aforismi, BUR, Milano 2007. *Aforismi*, Mondadori, Milano 1998; Baldini e Castoldi Dalai, Milano 2005.

Per le lettere, si consigliano l'interessante *Vita di Oscar Wilde attraverso le lettere* a cura di M. D'Amico, Einaudi, Torino 1977, e il volume Oscar Wilde, *Mio caro ragazzo. Lettere ad Alfred Douglas e agli amici*, Zoe, Forlì 1998.

Bibliografia critica essenziale

F. Kermode, *The Romantic Image*, Routledge & Kegan Paul, London 1957.
P. Scarfò, *Oscar Wilde: profilo letterario*, Ediz. letterarie, Napoli 1962.
H. Montgomery Hyde, *L'angelo sofisticato*, tr. di E. Rossetto, Mondadori, Milano 1966.
R. Ellmann, *Oscar Wilde: A Collection of Critical Essays*, Prentice-Hall, Englewood Cliffs (NJ) 1969.
K. Beckson (a cura di), *Oscar Wilde: The Critical Heritage*, Routledge & Kegan Paul, London 1970.
M. D'Amico, *Oscar Wilde: il critico e le sue maschere*, Istituto della Enciclopedia italiana, Roma 1973.
M. Fido, *Oscar Wilde*, Viking Press, New York 1973.
H. Montgomery Hyde, *Oscar Wilde, a Biography*, Methuen, London 1976.
G. Franci, *Il sistema del dandy: Wilde, Beardsley, Beerbohm*, Patron, Bologna 1977.
R. Shewan, *Oscar Wilde. Art and Egotism*, Macmillan, London 1977.
P.F. Gasparetto, *Oscar Wilde: l'importanza di essere diverso*, Sperling & Kupfer, Milano 1981.

P. Bà, *Dorian Gray un mito vittoriano*, Quattro Venti, Urbino 1982.

W. Tydeman, *Wilde: Comedies*, Macmillan, London 1982.

K. Worth, *Oscar Wilde*, Macmillan, London 1983.

F. Mei, *Oscar Wilde*, Rusconi, Milano 1987.

K. Powell, *Oscar Wilde and Theatre of the 1890's*, Cambridge University Press, Cambridge 1990.

J. Hunter Jeremy, J. McRae John, *Oscar: the importance of being Wilde*, Penguin, London 1991.

J. Philippe, *Oscar Wilde*, tr. di C. Lusignoli, Einaudi, Torino 1992.

M. Amendolara, *Indagine su Oscar Wilde*, Ripostes, Salerno 1994.

P. Raby, *The Cambridge Companion to Oscar Wilde*, Cambridge University Press, Cambridge 1997.

G. Silvani, *Il cerchio di Narciso: figure e simboli dell'immaginario wildiano*, Liguori, Napoli 1998.

R. Tanitch, *Oscar Wilde on Stage and Screen*, Methuen, London 1999.

A. Gide, *Oscar Wilde*, tr. di G. Pazzi, Passigli, Firenze 2000.

B. Belford, *Oscar Wilde: a certain genius*, Bloomsbury, London 2000.

M. D'Amico, R. Severi (a cura di), *La vita come arte: Oscar Wilde, le arti e l'Italia*, Novecento, Palermo 2001.

G. Franci, *Le mille e una maschera di Oscar Wilde*, Bonomia University Press, Bologna 2002.

R. Ellmann, *Oscar Wilde*, tr. di E. Capriolo, Mondadori, Milano 2002.

U. Eco, *Sulla letteratura*, Bompiani, Milano 2003.

T. Eagleton, *Saint Oscar*, Bookmarks, London 2004.

L. Giovannelli, *Il Principe e il Satiro. (Ri)leggere "Il ritratto di Dorian Gray"*, Carocci, Roma 2007.

A.R. Falzon, *Le nozze alchemiche di Salomè*, Pacini, Pisa 2008.

M. Silvia, *L'infame Sant'Oscar di Oxford, poeta e martire*, Liguori, Napoli 2008.

P. Gulisano, *Il ritratto di Oscar Wilde*, Ancora, Milano 2009.

Sui racconti

W.B. Yeats, *Oscar Wilde's Last Book*, in J.P. Frayne (a cura di), *Uncollected Prose by W.B. Yeats*, Columbia University Press, New York 1970.

D.H. Ericksen, *The Stories*, in *Oscar Wilde*, Twayne Publishers, Boston 1977.

I. Murray, Introduction to *The Complete Shorter Fiction of Oscar Wilde*, Oxford University Press, Oxford 1979.

M. Baselga, *Oscar Wilde and the Semantic Mechanisms of Humour: The Satire of Social Habits*, in *Rediscovering Oscar Wilde*, Colin Smythe, Gerrards Cross 1994.

M. Quadri, *L'arte della menzogna. I racconti di Oscar Wilde*, Bulzoni, Roma 1996.

P.M. Horan, *1888-1891: Wilde's Stories, Fairy Tales, and Novel: The Nature of Love*, in *The Importance of Being Paradoxical: Maternal Presence in the Works of Oscar Wilde*, Fairleigh Dickinson University Press, Madison N.J. 1997.

L. Dryden, *Oscar Wilde: Gothic Ironies and Terrible Dualities*, in *The Modern Gothic and Literary Doubles: Stevenson, Wilde and Wells*, Palgrave MacMillan, Hampshire 2003.

IL FANTASMA DI CANTERVILLE

Romanza material-idealista

I

Quando il signor Hiram B. Otis, ministro americano, acquistò Canterville Chase, tutti gli dissero che era una follia, poiché era risaputo che il posto era infestato dagli spiriti. Di fatto, lo stesso Lord Canterville, scrupolosissimo uomo d'onore, si sentì in dovere di accennare al fatto al signor Otis quando si trovarono per discutere delle condizioni di vendita.

"Noi stessi non ci abbiamo più voluto abitare," disse Lord Canterville, "da quando la mia prozia, l'anziana vedova del duca di Bolton, ha avuto un attacco di nervi dal quale non si è mai riavuta del tutto, avendo sentito due mani scheletriche sulle spalle mentre si stava vestendo per il pranzo. E devo dirle anche, signor Otis, che il fantasma è stato visto da diversi membri viventi della mia famiglia così come dal rettore della parrocchia, il reverendo Augustus Dampier, docente al King's College di Cambridge. Dopo l'increscioso incidente occorso alla duchessa, nessuno dei domestici più giovani ha voluto restare con noi e spesso Lady Canterville non riusciva a dormire di notte per via di certi strani rumori provenienti dal corridoio e dalla biblioteca."

"Signore," rispose il ministro, "pagherò per mobili e fantasma il prezzo dovuto. Vengo da un paese moderno, dove col danaro si può acquistare tutto e, con tutti i nostri baldi giovanotti che folleggiano per il Vecchio Continente portandosi via le vostre migliori attrici e primedonne, sono certo che se ci fosse davvero un fantasma in Europa sarebbe già in qualche nostro museo pubblico o baraccone da fiera."

"Temo che il fantasma esista davvero," disse Lord Canterville sorridendo, "anche se forse avrà resistito alle offerte dei vostri capaci impresari. È conosciuto da tre secoli, per la precisione dal 1584, e compare immancabilmente prima della morte di un membro della famiglia."

"Se è per questo, Lord Canterville, così fa pure il medico di famiglia. Ma i fantasmi non esistono, signore, e credo che le leggi della natura non facciano eccezioni per l'aristocrazia britannica."

"Certo, in America siete molto attaccati alla natura," rispose Lord Canterville, che non aveva capito bene l'ultima osservazione del signor Otis, "e se non le importa avere un fantasma in casa, per me va bene. Ma si ricordi che l'ho avvisata."

La compravendita venne conclusa dopo qualche settimana e sul finire della stagione il ministro e la sua famiglia si trasferirono a Canterville Chase. La signora Otis che, con il nome di signorina Lucretia R. Tappen, della Cinquantatreesima Strada Ovest, era stata un tempo una famosa bellezza di New York, era un'avvenente donna di mezza età, con due occhi squisiti e un profilo superbo. Molte signore americane, una volta lasciato il proprio paese natale, si atteggiano ad ammalate croniche, quasi fosse una forma di raffinatezza europea, ma la signora Otis non era mai caduta in quest'errore. Aveva una costituzione fisica perfetta e una vitalità eccezionale. Anzi, per molti aspetti sembrava proprio un'inglese ed era un ottimo esempio di come, oggigiorno, noi inglesi abbiamo davvero tutto in comune con l'America tranne, ovviamente, la lingua. Il suo primogenito, battezzato Washington dai genitori in uno slancio di patriottismo di cui il ragazzo non smise mai di rammaricarsi, era un bel giovanotto biondo che si era fatto strada nella diplomazia americana dirigendo i valzer tedeschi al casinò di Newport per tre stagioni di fila, e che aveva una certa fama anche a Londra come eccellente ballerino. Le gardenie e i titoli nobiliari erano le sue uniche debolezze. Per il resto, era un ragazzo di enorme buon senso. La signorina Virginia E. Otis era una fanciulla di quindici anni, agile e snella come un cerbiatto, con una bella espressione d'indipendenza nei grandi occhi azzurri. Era un'amazzone meravigliosa e una volta aveva gareggiato col suo pony contro il vecchio Lord Bilton per due giri del parco, superandolo di una lunghezza e mezzo proprio davanti alla statua di Achille, con somma gioia del giovane duca di Cheshire, che l'aveva chiesta subito in moglie ed era poi stato rispedito a Eton dai suoi tutori la sera stessa in un mare di lacrime. Dopo Virginia venivano i gemelli, soprannominati spesso "Stelle e Strisce" per la frequenza con cui assaggiavano la frusta. Erano due bambini deliziosi e, con la sola eccezione del degno ministro, gli unici veri repubblicani della famiglia.

Dato che Canterville Chase dista sette miglia da Ascot, la stazione ferroviaria più vicina, il signor Otis richiese via telegrafo una giardiniera, sulla quale la famiglia salì di ottimo umore. Era una deliziosa sera di luglio e l'aria era pervasa da un delicato aroma di pini. Di tanto in tanto si udiva un colombo selvatico tubare compiaciuto oppure, nascosto tra le felci fruscianti, s'intravedeva il petto brunito di un fagiano. Piccoli scoiattoli li spiavano dall'alto dei faggi e i conigli correvano veloci per il sottobosco e sui poggi muscosi, le bianche code nell'aria. Come imboccarono il viale di Canterville Chase, però, il cielo si coprì all'improvviso di nuvole, una strana immobilità parve agguantare l'aria, un grande stormo di corvi passò silenzioso sopra le loro teste e, prima che arrivassero alla dimora, cominciarono a cadere grosse gocce di pioggia.

Ad accoglierli sulla soglia c'era un'anziana donna con un impeccabile abito di seta nera e cuffia e grembiule bianchi. Era la signora Umney, la governante che la signora Otis, dietro espressa richiesta di Lady Canterville, aveva acconsentito a mantenere al suo servizio. Come scesero, la donna fece a ciascuno un profondo inchino e disse con fare compito e sorpassato: "Benvenuti a Canterville Chase". Seguendola, attraversarono il raffinato vestibolo in stile Tudor ed entrarono nella biblioteca, una sala lunga e bassa, rivestita di quercia nera, in fondo alla quale c'era un'ampia vetrata colorata. Videro che il tè era pronto e, dopo essersi tolti i soprabiti, si sedettero e cominciarono a guardarsi attorno, mentre la signora Umney li serviva.

Tutt'a un tratto la signora Otis notò una macchia color rosso opaco sul pavimento accanto al caminetto e, non sapendo cosa fosse, disse alla signora Umney: "Temo che laggiù sia stato versato qualcosa".

"Sì, signora," rispose sommessamente l'anziana governante, "è stato versato del sangue."

"Che orrore!" gridò la signora Otis. "Non sopporto che ci siano macchie di sangue in salotto. Bisogna toglierla subito."

L'anziana donna sorrise e rispose con la stessa voce sommessa e misteriosa: "È il sangue di Lady Eleanore de Canterville, uccisa in quello stesso punto da suo marito, Sir Simon de Canterville, nel 1575. Sir Simon visse altri nove anni, poi scomparve all'improvviso in circostanze assai misteriose. Il suo corpo non è mai stato trovato, ma il suo spirito colpevole continua a infestare il castello. La macchia di sangue attrae da tempo turisti e visitatori, e non è possibile toglierla".

"Sciocchezze!" gridò Washington Otis. "Il Supersmacchiatore e Detergente Perfetto Pinkerton la farà sparire in un attimo" e, prima che l'atterrita governante potesse intervenire, il giovane s'inginocchiò e strofinò energicamente il pavimento con un bastoncino simile a un cosmetico nero. Un attimo dopo non c'era più traccia della macchia di sangue.

"Lo sapevo che il Pinkerton avrebbe funzionato," esclamò trionfante, voltandosi verso i familiari che lo guardavano con ammirazione. Ma non appena pronunciò queste parole, un lampo terribile illuminò la stanza fosca, l'atroce fragore di un tuono li fece balzare tutti in piedi e la signora Umney perse i sensi.

"Che clima orribile," disse il ministro americano con calma, accendendosi un lungo sigaro. "Credo che il vecchio continente sia così sovrappopolato da non poter concedere a tutti un clima decente. Ho sempre pensato che l'unica via di salvezza per l'Inghilterra sia l'emigrazione."

"Mio caro Hiram," esclamò la signora Otis, "come ci comportiamo con una donna che sviene?"

"Gliel'addebitiamo come se avesse rotto qualcosa in casa," rispose il ministro. "Vedrai che così non sverrà più," e difatti, dopo pochi istanti, la signora Umney riprese conoscenza. Era evidentemente molto scossa e avvertì con tono severo il signor Otis che una sventura poteva abbattersi sulla casa.

"Signore, i miei occhi hanno visto cose che farebbero rizzare i capelli in testa a qualunque cristiano, e per notti intere non ho dormito per le cose spaventose che succedono in questa casa." Ma il signor Otis e la moglie rassicurarono la buona donna che non avevano paura dei fantasmi e, dopo aver invocato la benedizione della Provvidenza sui suoi nuovi padroni ed essersi accordata per un aumento di salario, l'anziana governante si diresse vacillando verso la propria stanza.

II

Quella notte il temporale infuriò senza sosta, ma non successe nulla di particolare. La mattina dopo, però, quando scesero per la colazione, la terribile macchia di sangue era ricomparsa sul pavimento. "Non credo sia colpa del Detergente Perfetto," disse Washington, "poiché l'ho provato con tutto. Dev'essere stato il fantasma." Ripulì la macchia una seconda volta, ma la mattina successiva quella comparve di nuovo. Era là anche la mattina del terzo giorno, sebbene di sera la biblioteca fosse stata chiusa dal signor Otis in persona e la chiave portata di sopra. L'intera famiglia cominciò a incuriosirsi; il signor Otis pensò di essere stato un po' troppo dogmatico nel negare l'esistenza dei fantasmi, la signora Otis si disse intenzionata a unirsi alla Società dei Fenomeni Psichici e Washington scrisse una lunga lettera ai signori Myers e Podmore a proposito della permanenza delle macchie di sangue legate ai delitti. Quella sera ogni dubbio sull'esistenza oggettiva dei fantasmi fu cancellato per sempre.

Era stata una giornata mite e soleggiata, e la famiglia al completo uscì in carrozza nell'aria fresca della sera. Non fecero ritorno che alle nove, quando consumarono una cena leggera. La conversazione non cadde mai sui fantasmi, quindi non ci furono nemmeno quelle condizioni primarie di autosuggestione che tanto spesso precedono il manifestarsi dei fenomeni psichici. Gli argomenti toccati, mi raccontò in seguito il signor Otis, furono quelli che normalmente ricorrono nelle conversazioni degli americani colti e benestanti: l'immensa superiorità come attrice della signorina Fanny Davenport rispetto a Sarah Bernhardt; la difficoltà di trovare germe di grano, focacce di grano saraceno e polenta anche nelle migliori case inglesi; l'importanza di Boston nello sviluppo di una coscienza universale; i vantaggi del sistema di controllo bagagli per i viaggi in treno, e la dolcezza dell'accento newyorkese rispetto alla parlata strascicata di Londra. Non si accennò minimamente al mondo soprannaturale né si fece alcuna allusione a Sir Simon de Canterville. Alle undici in punto la famiglia si ritirò e mezz'ora dopo tutte le luci erano spente. Qualche tempo dopo il signor Otis fu svegliato da uno strano rumore proveniente dal corridoio fuori dalla sua stanza. Pareva uno sferragliare metallico e sembrava farsi sempre più vicino. L'uomo si alzò di scatto, accese un fiammifero e guardò l'orologio. L'una in punto. Era abbastanza calmo e si tastò il polso, che non era accelerato. Ma lo strano rumore persisteva e, insieme ad esso, si udiva un rumore distinto di passi. S'infilò le pantofole, prese una piccola fiala oblunga dal suo astuccio per la toeletta e aprì la porta. Davanti a lui, nella pallida luce lunare, c'era un vecchio dall'aspetto terribile. Aveva occhi rossi come carboni ardenti, lunghi capelli grigi che gli ricadevano sulle spalle in ciocche arruffate, abiti di taglio antiquato, logori e sudici, e da polsi e caviglie gli pendevano pesanti manette e ceppi arrugginiti.

"Egregio signore," disse il signor Otis, "devo assolutamente chiederle di oliare quelle catene, e a tale scopo le ho portato una bottiglietta di lubrificante Sole Nascente Tammany.[1] Dicono che funzioni fin dalla pri-

---

[1] Tammany Hall era un'associazione newyorkese legata al Partito democratico degli Stati Uniti dalla storia non proprio pulita, tanto che in Inghilterra il termine Tammany era quasi sinonimo di corruzione politica. Come per il Detergente Pinkerton (riferimento a una nota agenzia investigativa statunitense) l'ironia di Wilde si camuffa sotto le vesti di ineffabili prodotti d'uso comune. [N.d.T.]

ma applicazione e sulla confezione ci sono diverse testimonianze di alcuni dei nostri più illustri teologi. Glielo lascio qua accanto alle candele della camera da letto e sarò lieto di dargliene ancora in caso ne avesse bisogno." Con queste parole, il ministro degli Stati Uniti posò la boccetta sul ripiano di marmo e, chiudendo la porta, si ritirò a dormire.

Il fantasma di Canterville rimase un attimo immobile, comprensibilmente indignato. Poi, dopo aver scagliato violentemente la boccetta sul pavimento lucido, si dileguò per il corridoio facendo gemiti sepolcrali e irradiando un'agghiacciante luce verde. Tuttavia, non appena raggiunse la sommità della grande scalinata di quercia, una porta si aprì di scatto, comparvero due piccole sagome vestite di bianco e un grosso cuscino gli sfiorò la testa sibilando! Non c'era evidentemente tempo da perdere e, adottando in fretta e furia la Quarta Dimensione Spaziale come via di fuga, scomparve dentro al rivestimento di legno della parete, dopo di che la casa ripiombò nel silenzio.

Raggiunta una piccola stanza segreta nell'ala sinistra, il fantasma si appoggiò a un raggio di luna per riprendere fiato e cercò di riflettere sull'accaduto. Mai, nell'arco della sua brillante e ininterrotta carriera di trecento anni, aveva subito un affronto simile. Pensò alla duchessa di Dowager, che aveva spaventato a morte mentr'era davanti allo specchio a rimirarsi pizzi e diamanti; alle quattro domestiche che avevano avuto una crisi isterica vedendolo sorridere dietro le tende di una delle camere per gli ospiti; al rettore della parrocchia, cui aveva spento la candela mentre usciva a tarda sera dalla biblioteca e che da allora, succube di disturbi mentali, era in cura da Sir William Gull; e alla vecchia Madame de Tremouillac che, svegliandosi una mattina presto e vedendo uno scheletro che leggeva il suo diario seduto in poltrona davanti al fuoco, era rimasta a letto per sei settimane con un attacco di febbre cerebrale e, ripresasi, si era riconciliata con la Chiesa e aveva rotto ogni legame con quel celebre scettico, Monsieur de Voltaire. Ripensò alla terribile notte in cui il perfido Lord Canterville fu trovato agonizzante nel suo spogliatoio con il fante di quadri infilato in gola e confessò, un attimo prima di spirare, di aver fregato cinquantamila sterline a Charles James Fox al Crockford Club con quella stessa carta, giurando che il fantasma gliel'aveva poi fatta ingoiare. Ripensò a tutte le sue grandi imprese, dal maggiordomo che si era sparato nella dispensa dopo aver visto una mano verdognola tamburellare sul vetro della finestra, alla bellissima Lady Stutfield, costretta a portare un nastro di velluto nero attorno alla gola per nascondere il segno lasciatole sulla pelle candida da cinque dita brucianti, annegatasi infine nello stagno delle carpe che c'è in fondo al King's Walk. Con l'egotismo entusiastico del vero artista, rivisitò le sue più celebri apparizioni e sorrise amaramente tra sé ripensando alla sua ultima comparsa come "Ruben il Rosso, o l'Infante Strangolato", al suo *début* nei panni del "Gracile Gibeon, il Vampiro della Palude di Bexley", e al *furore* che aveva scatenato un'incantevole serata di giugno mettendosi semplicemente a giocare a birilli con le sue stesse ossa sul campo da tennis. E dopo tutto questo, ecco che dei miserabili americani moderni venivano a offrirgli il lubrificante Sole Nascente e a lanciargli cuscini sulla testa! Era decisamente insopportabile. Inoltre, storicamente, non era mai successo che un fantasma venisse trattato così. Decise quindi di vendicarsi e fino alle prime luci dell'alba rimase immerso in profonde riflessioni.

III

Il mattino seguente, quando la famiglia Otis si riunì per la colazione, affrontò nel dettaglio la questione del fantasma. Il ministro degli Stati Uniti, comprensibilmente, era piuttosto risentito che il suo regalo non fosse stato accettato. "Non ho intenzione," disse, "di fare alcun male al fantasma e debbo dire che, considerato da quanto risiede in questa casa, non credo sia affatto cortese tirargli addosso dei cuscini." Fu un'osservazione del tutto sensata alla quale, mi rincresce dirlo, i gemelli scoppiarono a ridere di gusto. "D'altro canto," continuò, "se proprio si rifiuta di usare il lubrificante Sole Nascente, saremo costretti a togliergli le catene, o sarà impossibile dormire con quel baccano fuori dalle stanze da letto."

Per il resto della settimana, tuttavia, dormirono sonni tranquilli e l'unica cosa degna di nota fu il continuo riformarsi della macchia di sangue sul pavimento della biblioteca. Era un fatto certamente assai strano, visto che la porta veniva chiusa a chiave ogni sera dal signor Otis e le finestre rimanevano ermeticamente sbarrate. Anche il colore cangiante della macchia scatenò più di un commento. Certe mattine era rosso cupo (quasi castano), poi diventò vermiglio, poi viola vivo, finché una volta scesero per le preghiere di famiglia, secondo i semplici riti della Libera Chiesa Episcopale Americana Riformata, e la trovarono di un intenso verde smeraldo. Questi mutamenti caleidoscopici, naturalmente, li divertivano un sacco, e ogni sera si scommetteva liberamente sull'argomento. L'unica persona che non stava al gioco era la piccola Virginia che, per qualche motivo inspiegabile, era sempre turbata alla vista della macchia di sangue e che per poco non si mise a piangere la mattina che la trovò color verde smeraldo.

La seconda apparizione del fantasma avvenne domenica notte. Poco dopo essersi ritirati, gli Otis furono improvvisamente svegliati da un terribile tonfo proveniente dall'atrio. Corsi di sotto, videro che una grossa armatura antica si era sganciata dal piedistallo ed era caduta sul pavimento di pietra. Seduto su una poltrona dallo schienale alto c'era il fantasma di Canterville, che si massaggiava le ginocchia con un'espressione dolente sul volto. I gemelli, avendo portato con sé le loro cerbottane, gli spararono addosso immediatamente due pallottole, con quella precisione di mira che si ottiene solo dopo lunghe e attente esercitazioni sul proprio maestro di calligrafia, mentre il ministro degli Stati Uniti gli puntò contro il suo revolver e gli intimò, secondo l'etichetta californiana, di alzare le mani! Il fantasma balzò in piedi con un violento grido di rabbia e passò attraverso i presenti come una foschia, spegnendo la candela di Washington Otis e lasciando tutti nella più completa oscurità. Raggiunta la sommità delle scale, si riprese d'animo e decise di attuare la sua celebre risata demoniaca, che in più di un'occasione gli era stata estremamente utile. Si diceva che avesse ingrigito la parrucca di Lord Raker in una sola notte ed era provato che avesse spinto tre delle governanti francesi di Lady Canterville a dare le dimissioni prima della fine del mese di prova. Esplose quindi nella sua risata più atroce, che risuonò ripetutamente per il soffitto a volte, ma l'eco terribile non si era ancora spenta quando una porta si aprì e la signora Otis comparve sulla soglia con una veste da camera azzurra. "Temo proprio che lei non stia bene," disse, "e le ho portato una bottiglia della tintura del Dottor Dobell. Se si tratta di indigestione, ne rimarrà soddisfatto." Il fantasma le lanciò un'occhiata furiosa e cominciò subito i preparativi per trasformarsi in un grosso cane nero, talento per cui era meritatamente famoso e al quale il medico di famiglia aveva sempre attribuito l'imbecillità cronica dello zio di Lord Canterville, il conte Thomas Horton. Ma un rumore di passi che si avvicinavano lo distolse da quel feroce proposito, e il fantasma si accontentò di diventare leggermente fosforescente e scomparve con un profondo gemito sepolcrale un attimo prima che i gemelli gli fossero addosso.

Tornato nella sua stanza, le forze lo abbandonarono e cadde in preda a una violenta agitazione. La volgarità dei gemelli e il gretto materialismo della signora Otis erano estremamente irritanti, ma ciò che lo affliggeva maggiormente era il fatto di non essere riuscito a indossare l'armatura. Aveva sperato che anche degli americani moderni si sarebbero spaventati vedendo uno Spettro in Armatura, se non altro per rispetto verso il loro poeta nazionale Longfellow, sulle cui eleganti e avvincenti poesie si era soffermato egli stesso per più di un'ora quando i Canterville se ne andavano in città.[2] Inoltre, era la sua armatura personale. L'aveva indossata con grande successo al torneo di Kenilworth, ricevendo i vivi complimenti nientemeno che della regina Elisabetta. Eppure, indossandola, era rimasto sopraffatto dal peso dell'enorme corazza e dell'elmo di acciaio, ed era caduto pesantemente sul pavimento di pietra sbucciandosi in malo modo le ginocchia e ammaccandosi le nocche della mano destra.

L'accaduto lo rese gravemente indisposto per alcuni giorni, durante i quali lasciò la sua stanza solo per andare a rinnovare la macchia di sangue. Tuttavia, prendendosi una gran cura di sé, riuscì a guarire e decise di fare un terzo tentativo per spaventare il mi-

---

[2] Riferimento alla celebre poesia del poeta americano Henry Wadsworth Longfellow, *The Skeleton in Armor*. [*N.d.T.*]

nistro degli Stati Uniti e la sua famiglia. Per questa apparizione scelse venerdì diciassette agosto e passò gran parte della giornata a cercare vestiti nel suo guardaroba, optando infine per un ampio cappello a tesa larga con piuma rossa, un sudario arricciato su polsi e collo e uno stiletto arrugginito. Verso sera scoppiò un violento temporale e il vento era così forte da far sbattere e scricchiolare tutte le finestre e le porte della vecchia dimora. Erano proprio le condizioni atmosferiche ideali. Il piano era questo. Si sarebbe intrufolato silenziosamente nella stanza di Washington Otis, gli avrebbe farfugliato qualcosa dai piedi del letto e si sarebbe pugnalato tre volte alla gola al suono di una musica sommessa. Nutriva un rancore particolare per Washington, sapendo che era lui a togliere la famosa macchia di sangue dei Canterville con il Detergente Perfetto Pinkerton. Una volta ridotto quel giovane incurante e avventato a una condizione di vile terrore, sarebbe passato nella stanza occupata dal ministro degli Stati Uniti e sua moglie e avrebbe posato una mano umida e fredda sulla fronte della signora Otis, sibilando all'orecchio del marito tremante gli orrendi segreti degli ossari. In quanto alla piccola Virginia, non aveva ancora deciso il da farsi. Non l'aveva mai offeso in alcun modo ed era una ragazzina graziosa e gentile. Pensò che alcuni gemiti cavernosi dal guardaroba sarebbero stati più che sufficienti o, se questi non l'avessero svegliata, avrebbe afferrato il copriletto scuotendolo con le dita tremanti. Per quanto riguarda i gemelli, era deciso a dar loro una bella lezione. La prima cosa da fare, ovviamente, era sedersi sul loro petto per produrre la sensazione soffocante dell'incubo. Poi, dato che i loro letti erano molto vicini, si sarebbe messo nel mezzo prendendo le sembianze di un cadavere verde e gelido, paralizzandoli di paura. Infine avrebbe gettato via il sudario e strisciato per la stanza con le sue ossa bianco gesso e una sola pupilla roteante, nei panni di "Daniele il Muto, ovvero lo Scheletro del Suicida", un *rôle* che più di una volta aveva prodotto risultati notevoli e che considerava efficace quanto la sua famosa interpretazione di "Martin il Maniaco, ovvero il Mistero Mascherato".

Alle dieci e mezzo sentì che la famiglia si stava ritirando. Per un po' fu disturbato dallo sghignazzare selvaggio dei gemelli che, con spensierata allegria di scolaretti, si stavano evidentemente divertendo un po' prima di coricarsi, ma alle undici e un quarto non volava una mosca e, come scoccò la mezzanotte, il fantasma si mise in azione. Il gufo batteva le ali contro le finestre, il corvo gracchiava dai rami del vecchio tasso e il vento vagava gemendo attorno alla casa come un'anima persa; ma la famiglia Otis dormiva, ignara del proprio destino, e sopra la pioggia e il temporale si udiva il sonoro russare del ministro degli Stati Uniti. Il fantasma uscì furtivamente dal rivestimento di legno della parete con un sorriso malvagio sulla grinzosa bocca crudele e la luna nascose il volto dietro a una nuvola mentre superava furtivo la grande finestra a bovindo, dove il suo stemma e quello della moglie assassinata erano blasonati d'oro e d'azzurro. Scivolò via come un'ombra malvagia e l'oscurità stessa sembrò inorridire al suo passaggio. A un certo punto gli parve di sentir gridare qualcuno e si fermò, ma era solo il latrato di un cane dalla Cascina Rossa, e proseguì borbottando strane imprecazioni del sedicesimo secolo e brandendo di tanto in tanto lo stiletto arrugginito nell'aria della notte. Alla fine arrivò all'angolo del corridoio che portava alla stanza dello sfortunato Washington. Si fermò un attimo, mentre il vento gli scompigliava le lunghe ciocche grigie sulla testa e torceva in pieghe grottesche e fantastiche l'abominevole orrore del sudario. Quando l'orologio suonò il quarto, decise che era il momento di agire. Girò l'angolo ridacchiando tra sé ma, non appena l'ebbe fatto, indietreggiò con un patetico gemito di terrore e si nascose il volto sbiancato tra le lunghe mani ossute. Proprio di fronte a lui c'era uno spettro orribile, immobile come una statua e mostruoso come la fantasia di un pazzo!

La testa era calva e lucida; il volto bianco, tondo, paffuto, e una risata orribile sembrava avergli alterato i lineamenti in un ghigno perenne. Dagli occhi uscivano raggi di luce scarlatta, la bocca era un'ampia cavità infuocata e un lenzuolo spaventoso, simile al suo, ricopriva di nevi silenti quella sagoma titanica. Sul petto aveva un cartello con una strana scritta in caratteri antichi, come un cartiglio vergognoso, un registro di delitti efferati, un orribile almanacco del crimine, e con la mano destra brandiva una scimitarra di acciaio scintillante.

Non avendo mai visto un fantasma, era ovviamente molto spaventato e, lanciata una seconda occhiata a quello spettro terribile, tornò di corsa nella sua stanza, inciampando nel lungo lenzuolo svolazzante mentre filava per il corridoio e lasciando cadere lo stiletto arrugginito dentro agli stivali da caccia del ministro, dove fu ritrovato la mattina successiva dal maggiordomo. Una volta al sicuro nella sua stanza, crollò su un piccolo giaciglio e nascose il volto sotto le coperte. Dopo un po', tuttavia, l'antico e prode valore dei Canterville si fece sentire e il fantasma decise che sarebbe andato a parlare a quell'altra apparizione non appena avrebbe fatto giorno. Così, quando l'alba cominciò a lambire le colline con la sua luce argentata, tornò sul luogo dove aveva posato lo sguardo per la prima volta sullo spaventoso fantasma, pensando che, dopotutto, due fantasmi erano meglio di uno e che con l'aiuto del suo nuovo amico sarebbe riuscito ad affrontare i gemelli. Arrivato sul posto, però, si trovò davanti uno spettacolo orribile. Doveva essere accaduto qualcosa allo spettro perché la luce nei suoi occhi infossati si era spenta, la scimitarra gli era caduta di mano ed era appoggiato a una parete in modo scomodo e innaturale. Si fece avanti e lo prese tra le braccia ma, con suo orrore, la testa si staccò e rotolò per terra e il corpo cominciò ad afflosciarsi, finché non si ritrovò tra le mani una tenda da letto di cotone bianco ricamato, una scopa, una mannaia da cucina e una zucca vuota distesa ai suoi piedi! Sbigottito da quella strana trasformazione, afferrò in fretta e furia il cartello e, nella luce grigia del mattino, lesse le terrificanti parole:

IL FANTASMA DI OTIS
L'UNICO SPETTRO VERO E ORIGINALE
DIFFIDATE DELLE IMITAZIONI
TUTTI GLI ALTRI SONO FALSI.

All'improvviso capì ogni cosa. Era stato ingannato, beffato, gabbato! Il vecchio sguardo dei Canterville gl'illuminò gli occhi; digrignò le gengive sdentate e, alzando le mani grinzose sopra la testa giurò, con la pittoresca fraseologia dell'antica scuola, che quando il Gallo avrebbe suonato due volte il suo allegro corno ci sarebbero stati atti sanguinari e l'Assassinio si sarebbe aggirato nei dintorni con passi felpati.

Non aveva ancora concluso l'orribile giuramento che, dal tetto rosso di un podere lontano, un gallo cantò. Il fantasma mandò una lunga, bassa risata amara e aspettò. Aspettò per ore e ore ma il gallo, per qualche strano motivo, non cantò più. Infine, alle sette e mezzo, l'arrivo delle domestiche lo fece desistere da quella veglia spaventosa, e tornò di soppiatto verso la sua stanza, pensando all'inutile giuramento e al suo progetto frustrato. Si mise quindi a consultare diversi libri di cavalleria antica, argomento per cui nutriva una passione smisurata, e scoprì che, ogni volta che era stato pronunciato un giuramento simile, il Gallo aveva sempre cantato una seconda volta. "Che il diavolo si porti via quell'uccellaccio," borbottò. "In altri tempi, con la mia valorosa lancia, gli avrei trafitto la gola e l'avrei fatto cantare per me nell'agonia della morte!" Poi si coricò dentro a una comoda bara di piombo e vi rimase fino a sera.

IV

Il giorno seguente il fantasma si sentiva molto debole e stanco. La terribile agitazione delle ultime quattro settimane cominciava a pesare. Aveva i nervi a pezzi e sussultava al minimo rumore. Si chiuse nella sua stanza per cinque giorni, decidendo infine di lasciar perdere la macchia di sangue sul pavimento della biblioteca. Se la famiglia Otis non la voleva, evidentemente non se la meritava. Era gente che chiaramente conduceva un'esistenza gretta e materiale, e non poteva apprezzare il valore simbolico dei fenomeni sensoriali. La questione delle apparizioni spettrali e lo sviluppo dei corpi astrali era ovviamente tutt'altra faccenda e non rientrava esattamente nelle sue competenze. Era suo dovere solenne apparire in corridoio una volta alla settimana e farfugliare dalla grande finestra a bovindo il primo e terzo mercoledì di ogni mese, e non vedeva come avrebbe potuto sottrarsi onorevolmente a tale compito. Era pur vero che aveva condotto una vita molto malvagia ma, d'altro canto, era estremamente coscienzioso per tutto ciò che riguardava il soprannaturale. Per i tre sabati successivi, quindi, attraversò il corridoio come al solito, tra la mezzanotte e le tre, prendendo ogni precauzione possibile affinché non venisse né visto né sentito. Si tolse gli stivali, camminò più silenziosamente che poté sulle assi di legno tarlato, indossò un ampio martello di velluto nero e fu ben attento a oliare le sue catene con il lubrificante Sole Nascente. Bisogna ammettere che decidersi ad adottare quest'ultima precauzione gli costò non poco. Ma una sera, mentre la famiglia era a cena, scivolò nella camera da letto del signor Otis e portò via la bottiglietta. All'inizio provò un certo senso di umiliazione, ma in seguito ebbe la sensibilità di riconoscere che l'invenzione aveva un suo perché e, in un certo senso, serviva allo scopo. Eppure, nonostante tutto, non lo lasciarono in pace. Per il corridoio venivano tese continuamente delle corde nelle quali inciampava al buio e, una volta, vestito nei panni di "Isacco Nero, ovvero il Cacciatore dei boschi di Hogley", cadde in malo modo, scivolando su una striscia di burro che i gemelli avevano spalmato dall'ingresso della Sala degli Arazzi fino in cima alle scale di quercia. Quest'ultimo affronto lo fece infuriare a tal punto che decise di fare un ultimo sforzo per affermare la propria dignità e posizione sociale, e di andare a trovare quegli insolenti studentelli di Eton la sera dopo nella sua celebre personificazione di "Rupert il Temerario, ovvero il Conte Decapitato".

Non appariva in quelle vesti da più di settant'anni; da quando, di fatto, aveva spaventato la graziosa Lady Barbara Modish tanto da indurla a rompere il fidanzamento con il nonno dell'attuale Lord Canterville e a fuggire a Gretna Green insieme al bel Jack Castleton, dichiarando che per niente al mondo sarebbe entrata a far parte di una famiglia che permetteva a un fantasma così orribile di passeggiare su e giù per la terrazza al crepuscolo. Il povero Jack fu poi ucciso in duello dalla pistola di Lord Canterville a Wandsworth Common, e Lady Barbara morì di dolore a Turnbridge Wells prima della fine di quello stesso anno. Era quindi stato un gran successo su tutti i fronti. Richiedeva però un "trucco" estremamente difficoltoso, se posso adoperare un'espressione teatrale per uno dei più grandi misteri del soprannaturale o, per usare un termine più scientifico, del mondo extranaturale, e gli ci vollero tre ore buone per prepararsi. Alla fine tutto fu pronto e il fantasma si sentì compiaciuto del proprio aspetto. I grossi stivali di cuoio che si abbinavano al vestito gli stavano un tantino grandi e riuscì a trovare solo una delle due pistole da sella, ma nel complesso era abbastanza soddisfatto e all'una e un quarto scivolò fuori dal rivestimento di legno e avanzò furtivamente per il corridoio. Raggiunta la stanza dei gemelli che, mi sembra giusto specificarlo, era chiamata Camera da letto Blu per il colore dei tendaggi, trovò la porta socchiusa. Volendo fare un ingresso teatrale, la spalancò con decisione, ma in quello stesso istante una grossa caraffa d'acqua gli si rovesciò addosso, inzuppandolo fino al midollo e mancando la sua spalla sinistra di pochi centimetri. Contemporaneamente, sentì delle risatine soffocate provenire dal letto a baldacchino. Lo choc per il suo sistema nervoso fu così forte che tornò in camera più in fretta che poté e il giorno dopo dovette rimanere a letto con un brutto raffreddore. L'unica cosa che lo consolava di quella vicenda era il fatto che non si era portato appresso la testa perché, in quel caso, le conseguenze avrebbero potuto essere molto gravi.

Avendo ormai perso ogni speranza di riuscire a spaventare questa volgare famiglia americana, il fantasma si accontentò, di regola, di strisciare per i corridoi in pantofole di feltro, con una spessa sciarpa di lana rossa attorno al collo contro le correnti d'aria e un piccolo archibugio per difendersi dagli attacchi dei gemelli. Ricevette il colpo di grazia il 19 settembre. Era sceso da basso nell'ampio vestibolo, convinto che là nessuno l'avrebbe molestato, e si stava divertendo a snocciolare commenti satirici sulle grandi fotografie di Saroni del ministro degli Stati Uniti e sua moglie che avevano preso il posto dei ritratti di famiglia dei Canterville. Indossava un semplice ma elegante lungo sudario macchiato di muffa di cimitero, si era legato la mascella con una striscia gialla di lino e aveva con sé una piccola lanterna e una pala da becchino. In realtà vestiva i panni di "Giona l'Insepolto, ovvero il Dissotterra-cadaveri di Chertsey Barn", una delle sue personificazioni più riuscite, che i Canterville avevano buoni motivi di ricordare, in quanto era stata la vera causa del loro litigio con il vicino, Lord Rufford. Erano quasi le due e un quarto di notte e, per quanto aveva potuto constatare, nessuno era sveglio. Tuttavia, mentre si dirigeva verso la biblioteca per vedere se erano rimaste tracce della macchia di sangue, all'improvviso da un angolo buio gli saltarono addosso due figure che agitavano furiosamente le braccia sopra la testa e che gli gridarono "BUU!" nell'orecchio.

Colto da un senso di panico che, date le circostanze, era del tutto naturale, si fiondò verso le scale, ma qui trovò Washington Otis ad aspettarlo con una grossa canna da giardino. Essendo accerchiato dai nemici e quasi sul punto di soccombere, svanì nella grossa stufa di ghisa che fortunatamente per lui non era accesa e dovette farsi strada attraverso le canne fumarie e i camini, arrivando nella sua stanza in condizioni di estrema sporcizia, disordine e disperazione.

Dopo quell'incidente non lo si vide più in nessuna spedizione notturna. I gemelli rimasero svegli ad aspettarlo più di una volta e ogni sera disseminarono il corridoio di gusci di noce, con grande fastidio dei loro genitori e della servitù, ma fu tutto inutile. Era chiaro che il fantasma era stato ferito a tal punto nei suoi sentimenti che non voleva più farsi vedere. Il signor Otis, di conseguenza, riprese a scrivere la sua grande storia del Partito democratico, alla quale stava lavorando da alcuni anni; la signora Otis organizzò una magnifica festa campestre che lasciò a bocca aperta l'intera contea; i ragazzi si dedicarono al lacrosse, all'euchre, al poker e ad altri giochi nazionali americani; e Virginia se ne andò in giro per i sentieri di campagna con il suo pony, accompagnata dal giovane duca di Cheshire, venuto a passare l'ultima settimana di vacanza a Canterville Chase. Tutti pensavano che ormai il fantasma se ne fosse andato e a tale proposito il signor Otis scrisse una lettera a Lord Canterville che, in risposta, espresse viva soddisfazione per la notizia e fece le più sentite congratulazioni alla rispettabile moglie del ministro.

Gli Otis in realtà s'ingannavano, perché il fantasma era ancora in casa e, pur essendo ridotto quasi a un invalido, non era assolutamente disposto a gettare la spugna, specialmente dopo aver sentito che tra gli ospiti c'era il duca di Cheshire, il cui prozio, Lord Francis Stilton, una volta aveva scommesso cento ghinee con il colonnello Carbury che avrebbe giocato a dadi con il fantasma di Canterville e la mattina successiva era stato trovato disteso sul pavimento della sala da gioco completamente paralizzato, tanto che, pur vivendo fino a tarda età, non era più riuscito a profferire altro che "Doppio sei". La vicenda all'epoca fece scalpore anche se, per rispetto verso i sentimenti delle due nobili famiglie, fu fatto ovviamente ogni tentativo di insabbiarla; e una descrizione completa delle circostanze dell'accaduto compare nel terzo volume delle *Memorie del Principe Reggente e dei suoi amici* di Lord Tattle. Il fantasma, quindi, ci teneva alquanto a dimostrare di non aver perso la propria influenza sugli Stilton, con i quali, di fatto, era lontanamente imparentato, dato che una sua cugina di primo grado aveva sposato *en secondes noces* il Sieur de Bulkeley dal quale, com'è risaputo, discendono i duchi di Cheshire. Si preparò quindi ad apparire al piccolo spasimante di Virginia nel suo celebre personaggio del "Monaco Vampiro, ovvero il Benedettino Dissanguato", una personificazione talmente spaventosa che quando la vecchia Lady Startup la vide, un fatale Capodanno del 1764, si mise a strillare come un'ossessa ed ebbe una violenta crisi apoplettica di cui morì nel giro di tre giorni, dopo aver diseredato i Canterville, suoi parenti più prossimi, e aver lasciato l'intero patrimonio al suo farmacista di Londra. Sul più bello, però, il terrore che il fantasma nutriva per i gemelli gl'impedì di lasciare la stanza e il piccolo duca dormì tranquillo sotto l'elegante baldacchino piumato della Camera Reale, sognando Virginia.

V

Alcuni giorni dopo, Virginia e il suo cavaliere ricciuto uscirono a cavalcare per i prati di Brockley dove la piccola, nel saltare una siepe, si strappò il vestito e, tornando verso casa, decise di salire dalle scale di servizio per non essere vista. Mentre superava di corsa la Sala degli Arazzi, la cui porta era aperta, le sembrò di vedere qualcuno all'interno e, pensando che fosse la domestica di sua madre, che a volte vi portava il lavoro, si affacciò per chiederle di rammendarle il vestito. Con sua grande sorpresa, però, vi trovò nientemeno che il fantasma di Canterville! Era seduto vicino alla finestra e stava osservando l'oro consunto degli alberi ingialliti spandersi nell'aria e le foglie rosse danzare vivacemente lungo il viale. Aveva la testa appoggiata a una mano e pareva estremamente afflitto. Anzi, sembrava talmente infelice e malridotto che la piccola Virginia, il cui primo impulso era stato quello di correre a chiudersi nella sua stanza, si sentì invadere da una gran compassione e decise di cercare di confortarlo. Il suo passo era così leggero, e così profonda la malinconia del fantasma, che questi non si accorse della sua presenza finché non la udì parlare.

"Mi dispiace molto per lei, ma domani i miei fratelli torneranno a Eton e allora, se si comporterà bene, nessuno le darà fastidio."

"È assurdo chiedermi di comportarmi bene," rispose lui, guardando stupito la bella ragazzina che aveva avuto l'audacia di parlargli. "Davvero assurdo. Non posso fare a meno di sferragliare le mie catene, gemere attraverso i buchi delle serrature e andare in giro di notte, se è questo che intendi dire. È la mia unica ragione di esistere."

"Non è affatto una buona ragione, e lei sa benissimo che è stato molto malvagio. Il primo giorno che siamo arrivati, la signora Umney ci ha detto che ha ucciso sua moglie."

"Be', lo ammetto," disse il fantasma stizzito, "ma era una faccenda prettamente familiare e non riguardava nessun altro."

"È male uccidere," disse Virginia, che a volte aveva una dolce gravità puritana, ereditata da qualche vecchio antenato del New England.

"Oh, detesto il rigore da due soldi dell'etica astratta! Mia moglie era davvero insignificante, non mi inamidava mai le gorgiere come piaceva a me e non capiva niente di cucina. Ebbene, c'era questo daino che avevo ucciso nei boschi di Hogley, un esemplare magnifico, e sai come me l'ha fatto servire in tavola? Be', non importa, ormai è passato tanto tempo. Comunque i suoi fratelli non sono stati per niente carini a farmi morire di fame, anche se l'avevo uccisa io."

"Morire di fame? Oh, signor Fantasma, volevo dire signor Simon, ha fame? Ho un panino nella borsa. Le andrebbe?"

"No, grazie, ormai non mangio più nulla, ma sei gentile a chiedermelo. Sei molto più simpatica del resto della tua orribile, villana, volgare e disonesta famiglia."

"Basta!" gridò Virginia pestando un piede. "È lei che è villano, orribile e volgare. Quanto a disonestà, sa benissimo che ha rubato i colori dalla mia scatola di pittura per cercare di dipingere quella ridicola macchia di sangue in biblioteca. Prima mi ha preso tutti i rossi, compreso il vermiglio, tanto che non potevo più dipingere i tramonti, poi ha preso il verde smeraldo e il giallo cromo, e alla fine sono rimasta con l'indaco e il bianco di Cina e ho potuto fare solo paesaggi al chiaro di luna, che sono sempre deprimenti da guardare e tutt'altro che facili da dipingere. Non ho mai fatto la spia, sebbene fossi molto seccata e tutta questa storia fosse assai ridicola... insomma, chi ha mai sentito parlare di sangue verde smeraldo?"

"Be', in verità," disse il fantasma umilmente, "cosa potevo fare? È molto difficile trovare del sangue vero oggigiorno e, dato che è stato tuo fratello a cominciare tutto con il suo Detergente Perfetto, non vedevo perché non dovessi prendere i tuoi colori. In quanto al colore, è solo una questione di gusti; i Canterville hanno sangue blu, per esempio, il più blu d'Inghilterra; ma so che voi americani non badate a questo genere di cose."

"Lei non sa niente di niente e la cosa migliore che può fare è emigrare e ampliare la sua cultura. Mio padre sarebbe più che contento di offrirle un viaggio gratis e, anche se ci sono dazi forti su ogni tipo di spiriti, non ci saranno problemi alla dogana perché i funzionari sono tutti democratici. A New York avrà senz'altro un grande successo. Conosco un sacco di persone che pagherebbero centomila dollari per avere un nonno, e molti di più per avere un fantasma in famiglia."

"Non credo che mi troverei bene in America."

"Probabilmente perché non abbiamo ruderi e stranezze," disse Virginia sarcastica.

"Ruderi e stranezze!" rispose il fantasma. "Ma per questo ci sono la vostra flotta e le vostre maniere!"

"Buona sera. Chiederò a papà di dare ai gemelli una settimana in più di vacanza."

"Ti prego, non andartene, Virginia," gridò lui. "Sono così solo e triste, non so davvero cosa fare. Vorrei dormire ma non posso."

"Che assurdità! Deve solo andare a letto e spegnere la candela. A volte è molto difficile stare svegli, specialmente in chiesa, ma dormire non lo è affatto. Anche i neonati ne sono capaci, e non è che siano molto intelligenti."

"Non dormo da trecento anni," disse il fantasma

tristemente, e i begli occhi azzurri di Virginia si spalancarono dallo stupore. "Da trecento anni non dormo, e sono così stanco."

Virginia si rabbuiò e le sue piccole labbra fremettero come petali di rosa. Si avvicinò e, inginocchiatasi al suo fianco, guardò quel volto vecchio e avvizzito.

"Povero, povero fantasma," mormorò, "non ha un posto dove dormire?"

"Lontano, oltre la pineta," rispose lui con voce bassa e sognante, "c'è un piccolo giardino. L'erba cresce alta e rigogliosa, ci sono le grandi stelle bianche della cicuta e l'usignolo canta tutta la notte. Tutta la notte canta, sotto lo sguardo della fredda luna di cristallo, e l'albero del tasso distende le sue enormi braccia sui dormienti."

Gli occhi di Virginia si velarono di lacrime e la piccola si nascose il volto tra le mani.

"Sta parlando del Giardino della Morte," sussurrò.

"Sì, la Morte. La Morte dev'essere così bella. Giacere sul soffice terreno bruno, con l'erba che ti ondeggia leggera sopra la testa, e ascoltare il silenzio. Non avere un passato, non avere un futuro. Dimenticare il tempo, perdonare la vita, essere in pace. Tu puoi aiutarmi. Puoi aprire per me i portali della Casa della Morte, perché l'amore ti accompagna e l'amore è più forte della morte."

Virginia tremò, un brivido freddo le attraversò il corpo e per alcuni istanti ci fu silenzio. Le sembrava di essere in un terribile incubo.

Poi il fantasma riprese a parlare e la sua voce era come il sospiro del vento.

"Hai mai letto la vecchia profezia che c'è sulla finestra della biblioteca?"

"Oh, spesso," esclamò la piccola, alzando lo sguardo. "La conosco benissimo. È scritta in strani caratteri neri ed è difficile da leggere. Sono solo sei versi:

QUANDO UNA RAGAZZA DAI CAPELLI D'ORO STRAPPERÀ
UNA PREGHIERA DALLE LABBRA DEL PECCATORE
QUANDO LO STERILE MANDORLO RIFIORIRÀ

E UNA FANCIULLA VERSERÀ LE SUE LACRIME
ALLORA TORNERÀ LA QUIETE NELLA DIMORA
E LA PACE REGNERÀ SU CANTERVILLE.

Però non so cosa significa."

"Significa," disse il fantasma tristemente, "che devi piangere insieme a me per i miei peccati perché io non ho lacrime, e pregare insieme a me per la mia anima perché io non ho fede. Poi, se sarai sempre stata dolce, buona e gentile, l'Angelo della Morte avrà pietà di me. Vedrai delle figure spaventose nelle tenebre e voci malvagie ti sussurreranno all'orecchio, ma non ti faranno del male perché le forze dell'Inferno non possono vincere la purezza di una fanciulla."

Virginia non rispose e il fantasma si torse le mani dalla disperazione mentre guardava la china testa dorata della piccola. All'improvviso questa si alzò in piedi, pallidissima e con una strana luce negli occhi. "Non ho paura," disse con fermezza, "e chiederò all'Angelo di avere pietà di lei."

Lui si alzò con un debole grido di gioia e, prendendole una mano, s'inchinò con una grazia d'altri tempi e gliela baciò. Le sue dita erano fredde come ghiaccio e le labbra ardenti come fuoco, ma Virginia non vacillò mentre veniva condotta attraverso la sala oscura. Sugli arazzi verde sbiadito erano ricamati dei piccoli cacciatori, che suonavano i loro corni ornati di nappe e le facevano cenno con le piccole mani di tornare indietro. "Torna indietro, piccola Virginia!" gridavano. "Torna indietro!" Ma il fantasma le strinse saldamente la mano e lei chiuse gli occhi per non vedere. Orribili animali con code di lucertola e occhi sporgenti la guardavano dal camino scolpito, mormorando: "Attenta! Attenta, piccola Virginia! Potremmo non vederti mai più," ma il fantasma scivolò via più veloce e Virginia non li ascoltò. Quando arrivarono in fondo alla sala, il fantasma si fermò e borbottò alcune parole che lei non riuscì a capire. Aprì gli occhi e vide la parete svanire lentamente come nebbia, e si ritrovò davanti una grossa caverna. Un vento gelido li sferzava e Virginia sentì qualcosa tirarle il vestito. "Presto, presto," gridò il fantasma, "o sarà troppo tardi" e un attimo dopo il rivestimento di legno della parete si chiuse dietro di loro e la Sala degli Arazzi rimase vuota.

VI

Una decina di minuti dopo suonò la campana per il tè e, vedendo che Virginia non scendeva, la signora Otis mandò uno dei domestici a chiamarla. L'uomo fece ritorno dopo un po' e disse che non era riuscito a trovare la signorina Virginia da nessuna parte. Dato che la piccola aveva l'abitudine di uscire in giardino ogni sera a cogliere fiori per la tavola, la signora Otis sulle prime non si allarmò più di tanto. Ma quando suonarono le sei e Virginia ancora non era comparsa, cominciò ad agitarsi e mandò i ragazzi a cercarla di fuori, mentre lei stessa e il signor Otis controllavano ogni stanza della casa. Alle sei e mezzo i ragazzi tornarono e dissero che non avevano trovato tracce della sorella da nessuna parte. Erano ormai tutti molto preoccupati e non sapevano cosa fare, quando il signor Otis si ricordò all'improvviso che alcuni giorni prima aveva dato a un gruppo di zingari il permesso di accamparsi nel parco. Di conseguenza partì subito per Blackfell Hollow, dove si trovavano gli zingari, accompagnato dal figlio maggiore e da due garzoni di fattoria. Il piccolo duca di Cheshire, letteralmente fuori di sé dall'angoscia, l'implorò disperatamente di poter venire, ma il signor Otis non glielo permise, temendo che ci sarebbero stati tafferugli. Giunti a destinazione, però, videro che gli zingari se n'erano andati ed evidentemente in gran fretta, poiché il fuoco era ancora acceso e c'erano alcuni piatti abbandonati sull'erba. Dopo aver incaricato Washington di perlustrare la zona insieme ai due uomini, corse a casa e mandò telegrammi a tutti gli ispettori di polizia della contea, avvertendoli di cercare una fanciulla rapita dagli zingari o dai vagabondi. Ordinò poi di portare fuori il suo cavallo e, dopo aver convinto la moglie e i tre ragazzi a mettersi a tavola, cavalcò verso Ascot insieme a uno stalliere. Aveva percorso sì e no un paio di miglia, tuttavia, quando sentì qualcuno che galoppava alle sue spalle e, girandosi, vide il piccolo duca sul suo pony, rosso in viso e senza cappello. "Mi dispiace molto, signor Otis," disse il ragazzo ansimando, "ma non posso mangiare finché non troviamo Virginia. La prego, non si arrabbi con me; se ci avesse permesso di fidanzarci l'anno scorso, questo guaio non sarebbe successo. Non mi farà tornare indietro, vero? Non posso farlo! Non tornerò!"

Il ministro non poté fare a meno di sorridere al bel giovane scavezzacollo e fu alquanto toccato dal suo attaccamento a Virginia. Così, sporgendosi dal cavallo, gli diede delle pacche affettuose sulle spalle e disse: "Be', Cecil, se non vuoi tornare indietro immagino che dovrai venire con me, ma dovrò comprarti un cappello ad Ascot".

"Oh, al diavolo il cappello! Voglio Virginia!" gridò il piccolo duca ridendo, e ripartirono al galoppo verso la stazione ferroviaria. Una volta arrivati, il signor Otis chiese al capostazione se avesse visto qualcuno che rispondeva alla descrizione di Virginia, ma non ebbe notizie della piccola. Il capostazione, tuttavia, telegrafò a tutte le stazioni lungo la linea e gli promise che avrebbero tenuto gli occhi aperti. Dopo aver comprato un cappello per il piccolo duca in una merceria che stava per chiudere proprio in quel momento, il signor Otis partì alla volta di Bexley, un villaggio distante circa quattro miglia, che aveva saputo essere un famoso ritrovo di zingari, dato che nelle vicinanze c'era un ampio terreno libero. Qui svegliarono la guardia campestre, ma non ebbero informazioni e così, dopo aver perlustrato la zona, girarono i cavalli e tornarono verso casa, raggiungendo il castello attorno alle undici di sera, stanchi morti e quasi disperati. Trovarono Washington e i gemelli che li aspettavano al cancello con delle lanterne, dato che nel viale c'era buio pesto. Non era stata trovata nessuna traccia di Virginia. Gli zingari erano stati individuati nei campi di Broxley, ma la piccola non era con loro e quelli avevano spiegato la propria partenza frettolosa dicendo che avevano sbagliato la data della Fiera di Chorton ed erano partiti in fretta e furia per paura di arrivare in ritardo. Anzi, erano rimasti molto dispiaciuti di sapere della scomparsa di Virginia, dato che erano assai grati al signor Otis che aveva permesso loro di accamparsi nel suo parco, e in quattro si erano fermati a dare una mano con le ricerche. Era stato setacciato lo stagno delle carpe, e l'intero castello perlustrato, ma senza risultati. Era chiaro che, almeno per quella notte, Virginia non sarebbe stata trovata, e fu in uno stato di profondo sconforto che il signor Otis e i ragazzi rientrarono in casa, seguiti dallo stalliere con i due cavalli e il pony. Nell'atrio trovarono un gruppo di domestici spaventati e, distesa su un divano della biblioteca, c'era la povera signora Otis, fuori di sé dal terrore e dall'angoscia, cui la domestica bagnava di tanto in tanto la fronte con dell'acqua di colonia. Il signor Otis insisté subito perché mangiasse qualcosa e ordinò la cena per l'intera famiglia. Fu un pasto malinconico, durante il quale non parlò quasi nessuno. Persino i gemelli erano taciturni e desolati, perché volevano molto bene alla sorella. Quand'ebbero finito, il signor Otis, nonostante le suppliche del piccolo duca, li fece coricare tutti dicendo che quella notte non c'era nient'altro da fare e che la mattina successiva avrebbe telegrafato a Scotland Yard perché mandasse subito degli investigatori. Mentre uscivano dalla sala da pranzo, l'orologio della torre cominciò a suonare la mezzanotte e, arrivati all'ultimo rintocco, si udì un boato e un grido improvviso, acutissimo. Un terribile fragore di tuono scosse la casa, una melodia sinistra aleggiò nell'aria, un pannello in cima alla scalinata volò via con un gran fracasso e sul pianerottolo comparve Virginia, bianca e pallidissima e con un piccolo scrigno in mano. In un attimo furono tutti da lei. Il signor Otis la strinse ardentemente tra le braccia, il duca la ricoprì di baci e i gemelli eseguirono una furiosa danza guerresca attorno al gruppo.

"Santo cielo! Figliola, dove ti eri cacciata?" domandò il signor Otis furibondo, pensando che avesse voluto giocare loro un brutto tiro. "Io e Cecil ti abbiamo cercata dappertutto e tua madre si è spaventata a morte. Non devi più farci di questi scherzi."

"Solo al fantasma! Solo al fantasma!" strillarono i gemelli saltellando qua e là.

"Tesoro mio, grazie a Dio ti abbiamo trovata; non devi più allontanarti da me," mormorò la signora Otis baciando la fanciulla tremante e lisciandole i biondi capelli arruffati.

"Papà," disse Virginia sommessamente, "sono stata con il fantasma. È morto e devi venire a vederlo. È stato molto malvagio, ma era davvero dispiaciuto per tutto quello che ha fatto e prima di morire mi ha dato questa scatola di bellissimi gioielli."

Tutta la famiglia la guardò sbigottita, ma la piccola era calma e seria e, girandosi, li condusse dentro l'apertura nel rivestimento di legno e lungo uno stretto corridoio segreto, mentre Washington li seguiva con una candela accesa che aveva preso dalla tavola. Giunsero infine davanti a una grande porta di quercia tempestata di chiodi arrugginiti. Quando Virginia la toccò, quella ruotò sui pesanti cardini e si ritrovarono in una bassa stanzina dal soffitto a volte, con una piccola finestra a grata. Conficcato nel muro c'era un enorme anello di ferro al quale era incatenato uno scheletro scarno, disteso sul pavimento di pietra. Sembrava cercasse di afferrare con le dita rinsecchite un piatto di legno e una brocca antiquati che però erano fuori dalla sua portata. Era evidente che la brocca aveva un tempo contenuto dell'acqua, poiché era rivestita al suo interno di muffa verde. Sul piatto non c'era nient'altro che un mucchio di polvere. Virginia s'inginocchiò accanto allo scheletro e, congiungendo le piccole mani, cominciò a pregare in silenzio, mentre gli altri osservavano stupiti la terribile tragedia di cui avevano appena appreso il segreto.

"Ehi!" esclamò a un tratto uno dei gemelli, che stava guardando fuori dalla finestra per capire in quale ala del castello si trovasse la stanza. "Guardate! Il vecchio mandorlo secco è fiorito. Riesco a vedere i fiori al chiaro di luna."

"Dio l'ha perdonato," disse Virginia solennemente, alzandosi in piedi, il volto rischiarato da una luce bellissima.

"Che angelo sei!" gridò il giovane duca e, mettendole un braccio attorno al collo, la baciò.

VII

Quattro giorni dopo questi eventi curiosi, un corteo funebre partì da Canterville Chase verso le undici di sera. Il carro era trainato da otto cavalli neri, ciascuno dei quali portava sulla testa un gran ciuffo svolazzante di piume di struzzo, e la bara di piombo era coperta da un sontuoso drappo color porpora sul quale era ricamato in oro lo stemma dei Canterville. A lato del carro funebre e delle carrozze camminavano i domestici con le torce accese e l'intera processione aveva un'aria davvero solenne. Lord Canterville apriva il corteo, essendo venuto appositamente dal Galles per prendere parte al funerale, e sedeva nella prima carrozza insieme alla piccola Virginia. Dopo di lui venivano il ministro degli Stati Uniti e sua moglie, poi Washington e i tre ragazzi, mentre nell'ultima carrozza c'era la signora Umney. Tutti convennero che, essendo stata terrorizzata dal fantasma per più di cinquant'anni, avesse diritto a dargli l'estremo saluto. Una fossa profonda era stata scavata in un angolo del cimitero, sotto al vecchio tasso, e la funzione fu celebrata con grande solennità dal reverendo Augustus Dampier. Alla fine della cerimonia i domestici, secondo una vecchia usanza della famiglia Canterville, spensero le torce e, mentre la bara veniva calata nella fossa, Virginia si fece avanti e vi distese sopra una grossa croce fatta di fiori di mandorlo bianchi e rosa. In quell'istante la luna uscì da dietro una nuvola e inondò il piccolo cimitero di una silenziosa luce argentea, e da un boschetto lontano un usignolo cominciò a cantare. Virginia pensò alla descrizione che le aveva fatto il fantasma del Giardino della Morte, gli occhi le si velarono di lacrime e non disse più una parola durante il tragitto in carrozza verso casa.

La mattina seguente, prima che Lord Canterville andasse in città, il signor Otis volle parlargli dei gioielli che il fantasma aveva lasciato a Virginia. Erano davvero splendidi, soprattutto la collana di rubini con l'antica catena veneziana, un esemplare superbo di oreficeria del sedicesimo secolo, e avevano un tale valore che il signor Otis si faceva molti scrupoli a lasciarli a sua figlia.

"Signore," disse, "so che in questo paese il diritto di manomorta si applica ai ninnoli oltre che alla terra e mi pare evidente che questi gioielli sono, o dovrebbero essere, cimeli della sua famiglia. Devo pregarla, quindi, di portarli a Londra con sé e di considerarli come una parte della sua proprietà che le è stata restituita in strane circostanze. In quanto alla mia figliola, è solo una bambina e fino ad ora, per fortuna, non ha mai mostrato particolare interesse per simili fronzoli di lusso. Ho anche saputo dalla signora Otis che, se posso dirlo, in fatto di arte è piuttosto competente, avendo avuto il privilegio da giovane di passare diversi inverni a Boston, che queste gemme hanno un grande valore e potrebbero essere vendute a un prezzo considerevole. Date le circostanze, Lord Canterville, sono sicuro che capirà come mi sia impossibile permettere che rimangano in possesso di un qualsiasi membro della mia famiglia; anzi, tutti questi inutili fronzoli e balocchi, per quanto adatti o necessari alla dignità dell'aristocrazia britannica, sarebbero assolutamente fuori luogo tra gente che è cresciuta in base ai rigidi, e credo immortali, principi della semplicità repubblicana. Dovrei dirle, però, che Virginia ci terrebbe moltissimo a tenere lo scrigno in ricordo del suo sfortunato ma scapestrato antenato. Essendo molto vecchio, e quindi assai sciupato, potrebbe ritenere giusto acconsentire alla sua richiesta. Da parte mia, confesso di essere molto sorpreso che uno dei miei figli esprima interesse per una qualsivoglia forma di medievalismo e posso spiegarmelo solo con il fatto che Virginia è nata in uno dei vostri sobborghi londinesi poco dopo il ritorno della signora Otis da un viaggio ad Atene."

Lord Canterville ascoltò con grande attenzione il discorso del rispettabile ministro, lisciandosi di tanto in tanto i baffi grigi per nascondere un sorriso involontario e, quando il signor Otis ebbe finito, gli diede una cordiale stretta di mano e disse: "Egregio signore, la sua adorabile figliola ha reso un servizio molto importante al mio sfortunato antenato, Sir Simon, e io e la mia famiglia le siamo infinitamente grati per il suo meraviglioso ardire e coraggio. I gioielli spettano senz'altro a lei e, perbacco, se fossi così crudele da portarglieli via, credo che quel vecchio malvagio uscirebbe dalla tomba in men che non si dica, rendendomi la vita un inferno. Quanto al fatto che siano cimeli di famiglia, niente può essere considerato tale a meno che non sia citato in un testamento o in un documento legale, e nessuno ha mai saputo dell'esistenza di questi gioielli. Le assicuro che non mi spettano più di quanto spetterebbero al suo maggiordomo e immagino che, una volta cresciuta, alla signorina Virginia farà piacere avere delle cose belle da indossare. Inoltre dimentica, signor Otis, che ha acquistato mobili e fantasma in blocco e che tutto quello che apparteneva a quest'ultimo è entrato automaticamente in suo possesso poiché, qualunque fosse l'attività esercitata da Sir Simon in corridoio durante la notte, dal punto di vista legale in realtà era morto e i suoi beni le spettano per diritto di acquisto".

Il signor Otis rimase assai sconcertato dal rifiuto di Lord Canterville e lo pregò di riconsiderare la sua decisione, ma l'onesto nobiluomo era irremovibile e alla fine persuase il ministro a lasciare che sua figlia tenesse il regalo del fantasma. Così quando, nella primavera del 1890, la giovane duchessa di Cheshire fu presentata alla Corte della Regina in occasione del suo matrimonio, i suoi gioielli suscitarono l'ammirazione generale. Virginia ricevette la corona nobiliare, che è il premio di tutte le brave fanciulle americane, e sposò il suo giovane spasimante non appena questi diventò maggiorenne. Erano entrambi così incantevoli e si amavano così tanto che tutti approvarono la loro unione, tranne la vecchia marchesa di Dumbleton – che aveva cercato di accaparrarsi il duca per una delle sue sette figlie nubili e che allo scopo aveva tenuto ben tre costosi ricevimenti – e, strano a dirsi, lo stesso signor Otis. Al signor Otis il giovane duca piaceva molto come persona, ma in teoria era contrario ai titoli nobiliari e, per usare le sue stesse parole, nutriva "il timore che, sotto le influenze snervanti di un'aristocrazia dedita al piacere, si dimenticassero i sani principi della semplicità repubblicana". Le sue obiezioni, tuttavia, furono completamente ignorate e credo che quando avanzò per la navata della chiesa di St George, in Hanover Square, con sua figlia a braccetto, non ci fosse uomo più orgoglioso di lui in tutta l'Inghilterra.

Il duca e la duchessa, finita la luna di miele, si recarono a Canterville Chase e il giorno dopo il loro arrivo, nel pomeriggio, si diressero all'appartato cimitero vicino alla pineta. Sulle prime c'erano stati molti dubbi in merito all'epigrafe da mettere sulla lapide di Sir Simon, ma si era infine deciso di incidere solo le iniziali del vecchio gentiluomo e i versi scritti sulla finestra della biblioteca. La duchessa aveva portato delle rose bellissime che sparse sulla tomba e, dopo essere rimasti per un po' davanti alla lapide, i due si diressero verso il presbiterio in rovina della vecchia abbazia. La duchessa si sedette su una colonna caduta e il marito si distese ai suoi piedi a fumare una sigaretta e a guardare quegli occhi deliziosi. Tutt'a un tratto buttò via la sigaretta, le prese una mano e le disse: "Virginia, una moglie non dovrebbe avere segreti per suo marito".

"Cecil caro! Io non ho segreti per te."

"E invece sì," rispose lui sorridendo, "non mi hai mai detto cosa ti è successo quando sei rimasta rinchiusa con il fantasma."

"Non l'ho mai raccontato a nessuno, Cecil," disse Virginia gravemente.

"Lo so, ma a me potresti dirlo."

"Ti prego, non chiedermelo, Cecil. Non posso dirtelo. Povero Sir Simon! Gli devo moltissimo. Sì, non ridere, Cecil, è proprio così. Mi ha fatto capire cos'è la vita, cosa significa la morte e perché l'amore è più forte di entrambe."

Il duca si alzò e baciò appassionatamente sua moglie.

"Tieni pure il tuo segreto, a me basta avere il tuo cuore," mormorò.

"È sempre stato tuo, Cecil."

"Ma un giorno lo dirai ai nostri figli, vero?"

Virginia arrossì.

IL DELITTO DI LORD ARTHUR SAVILE

Uno studio sul dovere

I

Era l'ultimo ricevimento di Lady Windermere prima di Pasqua e Bentinck House era ancora più affol-
lata del solito. Sei ministri in carica erano arrivati da
un'udienza alla Camera dei Comuni agghindati con
nastri e decorazioni, tutte le belle dame sfoggiavano i
loro vestiti più eleganti e all'estremità della pinacoteca la principessa Sophia di Carlsrühe, una robusta signora dall'aspetto tartaro, con minuscoli occhi neri e
meravigliosi smeraldi, vociava in un pessimo francese e rideva smodatamente di ogni cosa che le si diceva. Era proprio un miscuglio straordinario di gente.
Splendide nobildonne chiacchieravano affabilmente
con impetuosi radicali, predicatori comuni sfiorava-
no le code di rondine con quelle di eminenti scettici,
un compatto stormo di vescovi seguiva di sala in sala
una formosa primadonna, sulle scale c'erano diversi
membri dell'Accademia Reale travestiti da artisti, e si
diceva che a un certo punto il salone dei rinfreschi fosse letteralmente zeppo di geni. Si trattava, in effetti,
di una delle migliori serate di Lady Windermere, e la
principessa si trattenne fin quasi alle undici e mezzo.
Non appena se ne fu andata, Lady Windermere
tornò nella pinacoteca, dove un famoso economista
politico stava spiegando solennemente la teoria scien-
tifica della musica a un indignato virtuoso ungherese,
e cominciò a discorrere con la duchessa di Paisley.
Lady Windermere era meravigliosa, con la sua stu-
penda gola d'avorio, i grandi occhi azzurri come non-

tiscordardimé e le folte ciocche di capelli dorati. *Or pur*, erano, non di quel pallido color paglierino che di questi tempi usurpa il bel nome dell'oro, ma di quell'oro di cui sono intessuti i raggi del sole o che si cela nell'ambra pregiata, e le incorniciavano il volto dandole un'aurea di santità senza negarle un certo fascino da peccatrice. Era un curioso caso psicologico. Fin da giovane aveva scoperto l'importante verità che niente si avvicina all'innocenza quanto la sconsideratezza e, dopo una serie di spericolate avventure, metà delle quali assolutamente innocue, aveva acquisito tutti i privilegi di ciò che si suol chiamare una personalità. Aveva cambiato marito più di una volta – in effetti, Debrett le attribuisce ben tre matrimoni – ma poiché non aveva mai cambiato amante, il mondo aveva smesso da tempo di farne oggetto di pettegolezzi. Aveva quarant'anni, senza figli, e possedeva quella smodata sete di piacere che è il segreto per rimanere giovani.

Tutt'a un tratto si guardò attorno con impazienza e disse con la sua chiara voce di contralto: "Dov'è il mio chiromante?".

"Il suo cosa, Gladys?" esclamò la duchessa, sobbalzando involontariamente.

"Il mio chiromante, duchessa; ormai non posso vivere senza di lui."

"Cara Gladys! È sempre così originale!" mormorò la duchessa, cercando di ricordarsi cosa fosse un chiromante e sperando che non fosse una specie di chiropodista.

"Viene a leggermi la mano regolarmente due volte la settimana," continuò Lady Windermere, "ed è una cosa estremamente interessante."

"Santo cielo!" disse la duchessa tra sé. "Allora è proprio una specie di chiropodista. Che orrore. Spero almeno che sia straniero: in tal caso non sarebbe così grave."

"Devo assolutamente presentarglielo."

"Presentarmelo!" esclamò la duchessa. "Non vorrà dire che è qua?" E si guardò attorno in cerca del suo piccolo ventaglio di tartaruga e di un logoro scialle di pizzo, pronta ad andarsene da un momento all'altro.

"Certo che è qua. Non mi sognerei mai di dare una festa senza di lui. Dice che ho una mano assai psichica e che se il mio pollice fosse stato un tantino più corto, sarei stata una gran pessimista e mi sarei chiusa in convento."

"Ah, capisco!" esclamò la duchessa con enorme sollievo. "Predice la sorte, non è così?"

"La buona e la cattiva sorte," rispose Lady Windermere, "tutto quanto. L'anno prossimo ad esempio correrò un grave pericolo, per terra e per mare, perciò andrò a vivere su una mongolfiera, dove mi farò mandar su la cena ogni sera con un cestino. È tutto scritto sul mignolo o sul palmo della mia mano, non ricordo bene."

"Ma Gladys, questo vuol dire sfidare la provvidenza."

"Mia cara duchessa, ormai la provvidenza non raccoglie più le sfide. Credo che tutti dovrebbero farsi leggere la mano una volta al mese per sapere cosa è meglio evitare. Naturalmente poi lo faranno lo stesso, ma è così piacevole essere avvertiti! Ora, se qualcuno non va subito a cercare il signor Podgers, dovrò andarci io stessa."

"Lasci che ci vada io, Lady Windermere," disse un giovane alto e di bell'aspetto che si trovava nelle vicinanze e aveva ascoltato la conversazione con un sorriso divertito.

"Grazie infinite, Lord Arthur, ma temo che non saprebbe riconoscerlo."

"Se è straordinario come dice, Lady Windermere, non potrò sbagliare. Mi dica com'è fatto e glielo porterò in un attimo."

"Be', non sembra affatto un chiromante. Voglio dire, non ha un'aria misteriosa, esoterica o romantica. È un ometto robusto con una buffa testa calva e grossi occhiali dalla montatura d'oro; sembra una via di mezzo tra un medico di famiglia e un procuratore di provincia. Mi rincresce dirlo, ma non è colpa mia. La gente è così irritante. Tutti i miei pianisti sembrano dei poeti e tutti i miei poeti sembrano dei pianisti. Ricordo che l'anno scorso invitai a pranzo un terribile sovversivo, un uomo che aveva fatto saltare in aria un mucchio di persone. Portava sempre una cotta di maglia e un pugnale nella manica. E sapete, quando arrivò sembrava un bravo curato di campagna e non fece altro che raccontare barzellette tutta la sera! Fu molto divertente, certo, ma per me era una gran delusione e quando gli chiesi della cotta di maglia si limitò a ridere e a dire che in Inghilterra faceva troppo freddo per indossarla. Ah, ma ecco il signor Podgers! Senta, signor Podgers, voglio che legga la mano alla duchessa di Paisley. Duchessa, deve togliersi il guanto. No, non il sinistro, quell'altro."

"Cara Gladys, non credo che sia opportuno," disse la duchessa, sbottonandosi controvoglia un guanto di capretto piuttosto sporco.

"Le cose interessanti non sono mai opportune," replicò Lady Windermere. *On a fait le monde ainsi.* Ma permettetemi di presentarvi. Duchessa, questo è il signor Podgers, il mio chiromante di fiducia. Signor Podgers, questa è la duchessa di Paisley, e se le dice che ha un monte della Luna più pronunciato del mio, non crederò mai più a una sua parola."

"Sono sicura, Gladys, che sulla mia mano non c'è nulla di simile," disse la duchessa gravemente.

"Sua Grazia ha proprio ragione," disse il signor Podgers lanciando un'occhiata alla manina grassoccia e dalle piccole dita squadrate. "Il monte della Luna non è pronunciato. La linea della vita, però, è eccellente. Pieghi il polso, per cortesia. Grazie. Tre linee distinte sulla *rascette*! Lei vivrà a lungo, duchessa, e sarà estremamente felice. Ambizione... molto moderata, linea dell'intelletto non eccessiva, linea del cuore..."

"Avanti, sia un po' indiscreto, signor Podgers," esclamò Lady Windermere.

"Lo farei con gran piacere," disse il signor Podgers, inchinandosi, "se la duchessa me ne desse il motivo, ma mi rincresce dire che vedo solo un affetto costante unito a un forte senso del dovere."

"La prego, continui, signor Podgers," disse la duchessa con aria molto soddisfatta.

"La parsimonia non è l'ultima delle virtù di Sua Grazia," continuò il signor Podgers, e Lady Windermere scoppiò a ridere di cuore.

"La parsimonia è un'ottima cosa," osservò la duchessa con fare compiaciuto. "Quando lo sposai, Paisley possedeva undici castelli, ma non una sola casa che fosse abitabile."

"E adesso ha dodici case e nemmeno un castello!" esclamò Lady Windermere.

"Ebbene, mia cara," disse la duchessa, "a me piacciono..."

"Le comodità," disse il signor Podgers, "e le migliorie moderne, e acqua calda in ogni stanza da letto. Sua Grazia ha perfettamente ragione. Le comodità sono le sole cose che può darci la civiltà."

"Ha descritto il carattere della duchessa alla perfezione, signor Podgers. Adesso ci descriva quello di Lady Flora," e, in risposta a un cenno della sorridente padrona di casa, una ragazza alta, dai capelli rossicci e le scapole prominenti, si fece avanti goffamente da dietro il divano e allungò una lunga mano ossuta con le dita a spatola.

"Ah, vedo che è una pianista!" disse il signor Podgers. "Un'eccellente pianista, ma forse non una grande musicista. Molto riservata, molto onesta, e con un grande amore per gli animali."

"Esatto!" esclamò la duchessa, voltandosi verso Lady Windermere. "Proprio così! Flora ha due dozzine di collie a Macloskie e trasformerebbe la nostra residenza in città in uno zoo se suo padre glielo permettesse."

"Be', è esattamente quello che faccio io ogni gio-

vedì sera in casa mia," gridò Lady Windermere ridendo. "Solo che io preferisco i leoni[1] ai collie."

"Ed è il suo unico errore, Lady Windermere," disse il signor Podgers con un pomposo inchino.

"Una donna che non sa rendere affascinanti i pro-
pri errori è solo una femmina," fu la risposta. "Ma ora
deve leggerci qualche altra mano. Venga, Sir Thomas.
Mostri un po' la sua al signor Podgers," al che si fece
avanti un vecchio gentiluomo dal viso cordiale, in sparato bianco, che tese una grande mano ruvida, dal di-
to medio sproporzionatamente lungo.

"Una natura avventurosa; quattro lunghi viaggi in
passato, e uno ancora da compiere. Naufragato tre volte. No, solo due volte, ma rischia un naufragio con il
prossimo viaggio. Un conservatore convinto, molto
puntuale e con il pallino del collezionismo. Ha avuto
una grave malattia tra i sedici e i diciotto anni, ed ereditato una grossa fortuna verso i trenta. Una spiccata
avversione per i gatti e i radicali."

"Straordinario!" esclamò Sir Thomas. "Deve assolutamente leggere la mano anche a mia moglie."

"La sua seconda moglie," disse il signor Podgers
sottovoce, senza lasciare la mano di Sir Thomas. "La
sua seconda moglie. Sarà un onore." Ma Lady Marvel,
una donna dall'aria malinconica, i capelli castani e le
ciglia languide, si rifiutò categoricamente di rendere
pubblico il proprio passato e il proprio futuro, e Lady
Windermere non riuscì in alcun modo a convincere
Monsieur de Koloff, l'ambasciatore russo, anche solo
a togliersi i guanti. Sembrava proprio che molti avessero paura di affrontare quello strano ometto dal sorriso stereotipato, gli occhiali d'oro e gli occhi vispi e
lucenti; e quando questi disse alla povera Lady Fermor, davanti a tutti, che non le importava niente della musica, ciascuno pensò che la chiromanzia fosse

[1] I "leoni" di cui Wilde parla anche più avanti sono i personaggi alla
moda che popolavano i salotti inglesi e che venivano esibiti dal proprietario di casa come animali in gabbia. [N.d.T.]

una scienza alquanto pericolosa, che era meglio non incoraggiare se non in un *tête-à-tête*.

Tuttavia Lord Arthur Savile, che non sapeva nulla della sfortunata storia di Lady Fermor e aveva osservato il signor Podgers con molto interesse, fu preso da una grande curiosità di farsi leggere la mano. Ma poiché era un po' timido per farsi avanti, attraversò il salone verso il punto dov'era seduta Lady Windermere e, arrossendo deliziosamente, le chiese se secondo lei il signor Podgers poteva accontentarlo.

"Certo, lo farà con piacere," disse Lady Windermere, "è qui per questo. Tutti i miei leoni, Lord Arthur, sono ben ammaestrati e saltano nel cerchio ogni volta che glielo chiedo. Ma prima devo avvertirla che racconterò tutto a Sybil. Verrà da me domani a colazione per discutere di certi cappellini e se il signor Podgers scopre che lei ha un cattivo carattere o la tendenza alla gotta, o magari una moglie che vive a Bayswater, stia pur certo che le dirò ogni cosa."

Lord Arthur sorrise e scrollò il capo. "Non ho paura," rispose. "Sybil e io non abbiamo segreti."

"Ah! Mi rincresce sentirglielo dire. L'incomprensione reciproca è la vera base del matrimonio. No, non sono per niente cinica, ho solo una certa esperienza, che in fondo è la stessa cosa. Signor Podgers, Lord Arthur Savile muore dalla voglia di farsi leggere la mano. Non gli dica che è fidanzato con una delle più belle ragazze di Londra, perché questo l'hanno già scritto sul 'Morning Post' un mese fa."

"Cara Lady Windermere," esclamò la marchesa di Jedburgh, "mi lasci il signor Podgers ancora un poco. Mi ha appena detto che dovrei darmi alla recitazione e la cosa m'interessa alquanto."

"Se le ha detto questo, Lady Jedburgh, glielo porterò via senz'altro. Venga subito qui, signor Podgers, e legga la mano a Lord Arthur."

"Be'," ribatté Lady Jedburgh, alzandosi dal divano con una piccola smorfia di disappunto, "se non posso salire sul palcoscenico, concedetemi almeno di far parte del pubblico."

"Naturalmente, ne faremo parte tutti," disse Lady Windermere. "E ora, signor Podgers, veda di dirci qualcosa di carino. Lord Arthur è uno dei miei ospiti preferiti."

Ma non appena il signor Podgers vide la mano di Lord Arthur, si fece stranamente pallido e non disse una parola. Un brivido gli attraversò il corpo e le sue folte sopracciglia ebbero un fremito convulso, strano e irritante, come gli succedeva quand'era perplesso. Poi grosse gocce di sudore gl'imperlarono la fronte giallognola, come una rugiada velenosa, e le sue dita grassocce si fecero fredde e appiccicaticce.

Lord Arthur non poté non notare quegli strani segni di turbamento e, per la prima volta nella vita, ebbe paura. Il suo primo impulso fu di scappare via, ma si trattenne. Era meglio conoscere il peggio, qualunque cosa fosse, che rimanere in quella tremenda incertezza.

"Sto aspettando, signor Podgers," disse.

"Stiamo tutti aspettando," gridò Lady Windermere con quel suo fare impulsivo e impaziente, ma il chiromante non rispose.

"Secondo me Arthur ha un futuro come attore," disse Lady Jedburgh, "ma, dopo il suo rimprovero, il signor Podgers non osa dirglielo."

Il signor Podgers lasciò andare all'improvviso la mano destra di Lord Arthur e gli afferrò la sinistra, piegandosi a tal punto per esaminarla che i cerchi dorati dei suoi occhiali quasi gli toccarono il palmo. Per un attimo il suo volto diventò una maschera bianca di orrore ma, recuperando subito il suo *sang-froid* e alzando lo sguardo verso Lady Windermere, disse con un sorriso forzato: "È la mano di un giovanotto affascinante".

"Questo lo sappiamo!" rispose Lady Windermere, "ma sarà anche un marito affascinante? È questo che voglio sapere."

"Tutti i giovanotti affascinanti lo sono," disse il signor Podgers.

"Io credo che un marito non dovrebbe essere troppo affascinante," mormorò pensosa Lady Jedburgh, "è così pericoloso."

"Mia cara bambina, non sono mai troppo affascinanti," esclamò Lady Windermere. "Ma ora voglio i dettagli. I dettagli sono l'unica cosa interessante. Cosa succederà a Lord Arthur?"

"Be', nei prossimi mesi Lord Arthur partirà per un viaggio..."

"Sì, ovvio, la luna di miele!"

"E perderà un parente."

"Non sua sorella, spero!" disse Lady Jedburgh con tono compassionevole.

"No, non sua sorella," rispose il signor Podgers, respingendo quell'idea con un gesto della mano, "solo un parente lontano."

"Be', sono profondamente delusa," disse Lady Windermere. "Domani non avrò assolutamente niente da dire a Sybil. Ormai i parenti lontani non interessano nessuno. Sono passati di moda da anni. Però le consiglierò di procurarsi un abito di seta nera. Caso mai potrà sempre usarlo per andare in chiesa. E adesso mettiamoci a tavola. Di sicuro avranno già spazzolato tutto, ma forse troveremo ancora un po' di brodo caldo. Prima François preparava un brodo eccellente, adesso è talmente turbato dalle questioni politiche che non posso più contare su di lui. Se solo il generale Boulanger se ne stesse un po' tranquillo! Duchessa, mi pare un po' stanca o sbaglio?"

"Nient'affatto, cara Gladys," rispose quella ondeggiando verso la porta. "Mi sono divertita un mondo e il chiropodista, cioè, il chiromante, è davvero interessante. Flora, dove si sarà cacciato il mio ventaglio di tartaruga? Oh, grazie infinite, Sir Thomas. E il mio scialle di pizzo, Flora? Oh, grazie, Sir Thomas, davvero molto gentile," e la rispettabile creatura riuscì finalmente a scendere le scale senza lasciar cadere la sua boccetta di profumo più di due volte.

Nel frattempo Lord Arthur Savile era rimasto in

piedi davanti al camino, attanagliato dallo stesso senso di angoscia e di disgrazia incombente. Sorrise tristemente a sua sorella quando gli passò accanto a braccetto con Lord Plymdale, deliziosa nell'abito di broccato rosa e i gioielli di perle, e quasi non sentì Lady Windermere che lo invitava a seguirla. Pensava a Sybil Merton, e l'idea che qualcosa potesse frapporsi fra loro gli face salire le lacrime agli occhi.

A vederlo, si sarebbe pensato che la Nemesi avesse rubato lo scudo di Pallade per mostrargli il volto della Gorgona. Sembrava diventato di pietra e il suo volto malinconico era come una maschera di marmo. Aveva vissuto la vita raffinata e dispendiosa del giovane ricco e aristocratico, una vita squisitamente libera da ogni basso bisogno materiale e colma di giovane spensieratezza; e ora, per la prima volta, era diventato consapevole del terribile mistero del destino, del tremendo significato del fato.

Come gli sembrava folle e mostruoso tutto ciò! Possibile che sulla sua mano, scritto in caratteri a lui incomprensibili ma decifrabili da altri, fosse impresso l'orrendo segreto del peccato, l'atroce impronta del delitto? Non c'erano vie d'uscita? Siamo solo pedine mosse da una forza invisibile, vasi che l'artigiano foggia a suo piacimento, per la gloria o per l'infamia? Anche se la sua ragione si opponeva a tutto questo, Lord Arthur intuiva una tragedia incombente, sentiva di essere stato improvvisamente chiamato a portare un fardello intollerabile. Come sono fortunati gli attori, che possono scegliere se rappresentare la tragedia o la farsa, se soffrire o gioire, se ridere o piangere. Nella realtà questo non accade: la maggior parte degli uomini e delle donne è costretta a recitare parti per le quali non ha i requisiti adatti. I nostri Guildenstern impersonano Amleto, e i nostri Amleto devono scherzare come se fossero il principe Hal. Il mondo è un palcoscenico, ma le parti sono mal distribuite.

Il signor Podgers entrò improvvisamente nella sala. Sussultò vedendo Lord Arthur e il suo volto grasso e volgare prese un colore giallo verdastro. Gli sguardi dei due uomini s'incontrarono e per un attimo ci fu silenzio.

"La duchessa ha dimenticato un guanto, Lord Arthur, e mi ha chiesto di portarglielo," disse infine il signor Podgers. "Ah, eccolo là sul divano! Arrivederci."

"Signor Podgers, insisto per avere una risposta diretta alla domanda che le sto per fare."

"Un'altra volta, Lord Arthur. La duchessa mi aspetta. Devo andare."

"No, non andrà. La duchessa non ha nessuna fretta."

"Non bisogna far aspettare le signore, Lord Arthur," disse il signor Podgers con il suo sorriso sgradevole. "Il gentil sesso perde facilmente la pazienza."

Le labbra finemente cesellate di Lord Arthur si piegarono in una smorfia sdegnosa. In quel momento la povera duchessa aveva ben poca importanza per lui. Attraversò la sala in direzione del signor Podgers e tese la mano.

"Mi dica cosa ci ha visto," disse. "Mi dica la verità. Devo sapere. Non sono un bambino."

Gli occhi del signor Podgers ammiccarono dietro gli occhiali dalla montatura d'oro e l'uomo si dondolò impacciato da un piede all'altro, giocherellando nervosamente con la vistosa catena dell'orologio.

"Cosa le fa pensare che nella sua mano abbia visto più di quanto le ho detto, Lord Arthur?"

"Ne sono certo e insisto perché me lo dica. La pagherò. Le darò un assegno di cento sterline."

Gli occhi verdi del chiromante s'illuminarono un attimo, poi tornarono opachi.

"Ghinee?" propose infine con un filo di voce.

"Certamente. Le manderò un assegno domani. Qual è il suo club?"

"Non ho un club. Cioè, non al momento. Il mio indirizzo è... ma mi permetta di darle il mio biglietto da visita," ed estraendo un cartoncino dagli angoli dorati dalla tasca del panciotto, lo porse con un profondo inchino a Lord Arthur, che vi lesse:

SIGNOR SEPTIMUS R. PODGERS
CHIROMANTE PROFESSIONISTA
103ᴬ WEST MOON STREET

"Ricevo dalle dieci alle sedici," mormorò il signor Podgers meccanicamente, "e faccio prezzi speciali alle famiglie."

"Si sbrighi," gridò Lord Arthur pallidissimo, allungando la mano.

Il signor Podgers si guardò attorno nervosamente e tirò la pesante *portière* sulla porta.

"Ci vorrà un po' di tempo, Lord Arthur, è meglio se si siede."

"Si sbrighi, signore," ripeté Lord Arthur, pestando rabbiosamente un piede sul pavimento lucido.

Il signor Podgers sorrise, estrasse dalla tasca del panciotto una piccola lente d'ingrandimento e la pulì accuratamente con un fazzoletto.

"Sono pronto," disse.

II

Dieci minuti dopo, con il volto sbiancato dal terrore e gli occhi pieni di angoscia, Lord Arthur Savile si precipitò fuori da Bentinck House facendosi strada tra la folla di valletti impellicciati riuniti sotto l'enorme tendone a strisce. Sembrava che non vedesse né sentisse nulla. Faceva freddissimo e i lampioni a gas della piazza guizzavano e tremolavano nel vento sferzante, ma le sue mani erano ardenti e la fronte febbricitante. Proseguì, barcollando quasi come un ubriaco. Un poliziotto lo guardò incuriosito e un mendicante, disteso sotto un'arcata a chiedere l'elemosina, si spaventò riconoscendo in lui una disperazione anche maggiore della propria. A un certo punto si fermò sotto un lampione e si guardò le mani. Gli sembrò di vedervi già una macchia di sangue, e un debole grido gli sgorgò dalle labbra tremanti.

Assassinio! Ecco cosa vi aveva letto il chiromante. Assassinio! Sembrava che la notte stessa lo sapesse, che il vento desolato glielo gridasse nelle orecchie. Gli angoli bui delle strade ne erano colmi. L'assassinio gli sorrideva sinistramente dai tetti delle case.

Dapprima giunse al parco, quasi attratto dal cupo paesaggio boschivo. Esausto, si appoggiò alla cancellata, rinfrescando la fronte contro il metallo umido e ascoltando il tremulo silenzio degli alberi. "Assassinio! Assassinio!" continuava a ripetere, come se così facendo potesse smorzare l'atrocità di quella parola. Il suono della propria voce lo faceva rabbrividire, ma sperava quasi che l'eco potesse sentirlo e risvegliasse dal sonno la città addormentata. Provò il folle desiderio di fermare il primo passante che vedeva e raccontargli tutto.

Poi girovagò attorno a Oxford Street, infilandosi nei vicoli stretti e turpi. Due donne dal volto truccato lo presero in giro vedendolo passare. Da un cortile buio gli arrivò un rumore di colpi e delle imprecazioni, seguite da grida acute e, rannicchiate su un gradino umido, vide le sagome deformi della povertà e della vecchiaia. Fu preso da uno strano senso di pietà. Erano questi i figli del peccato e della miseria, predestinati alla loro fine come lui alla sua?· Anch'essi, come lui, non erano che semplici burattini di uno spettacolo mostruoso?

Eppure non fu il mistero, ma la farsa della sofferenza a colpirlo; la sua totale inutilità, la sua grottesca mancanza di significato. Come tutto gli sembrava illogico, privo di armonia! Era sbigottito dalla discrepanza tra il vuoto ottimismo della giornata e la cruda realtà dell'esistenza. Era ancora molto giovane.

Dopo un po' si ritrovò davanti alla chiesa di Marylebone. La strada silenziosa sembrava un lungo nastro di argento lucido, chiazzato qua e là dagli oscuri arabeschi delle ombre fluttuanti. La linea tremula dei lampioni a gas s'incurvava in lontananza e fuori da una piccola casa recintata c'era un calesse solitario, con il cocchiere addormentato all'interno. Si diresse frettolosamente verso Portland Place, guardandosi attorno di tanto in tanto come se temesse di essere seguito. All'angolo con Rich Street vide due uomini che leggevano un piccolo avviso su uno steccato. Mosso da una strana curiosità, attraversò la strada. Come si avvicinò, l'occhio gli cadde sulla parola "Omicidio" stampata in caratteri neri. Sussultò e le sue guance arrossirono violentemente. Il manifesto offriva una ricompensa a chi forniva informazioni utili all'arresto di un uomo di media statura, fra i trenta e i quarant'anni, con un cappello a bombetta, cappotto nero e pantaloni a scacchi, e con una cicatrice sulla guancia destra. Lesse e rilesse l'annuncio, chiedendosi se sarebbero riusciti a catturare quel disgraziato e come si era procurato la cicatrice. Forse un giorno anche il suo nome sarebbe stato affisso sui muri di Londra. Un giorno, forse, avrebbero messo una taglia anche sulla sua testa.

Il pensiero lo fece quasi svenire dalla paura. Girò i tacchi e si rituffò nella notte.

Non sapeva dov'era diretto. Ricordava vagamente di aver camminato per un labirinto di case sudicie e di essersi perso in una gigantesca ragnatela di strade cupe, e splendeva l'alba quando si ritrovò infine in Piccadilly Circus. Mentre si dirigeva verso casa, in Belgrave Square, incrociò i grossi carri diretti al mercato di Covent Garden. I carrettieri, con i loro camiciotti bianchi, i bei volti abbronzati e i ruvidi capelli ricci, avanzavano risoluti facendo schioccare le fruste e chiamandosi di tanto in tanto. In groppa a un enorme cavallo grigio a capo di una squadra tintinnante, Lord Arthur vide un ragazzino paffuto con un mazzolino di primule appuntato al cappello malconcio, che rideva aggrappandosi alla criniera con le piccole mani. Le grosse pile di ortaggi sembravano masse di giada rispetto al cielo mattutino, masse di giada verde che si stagliavano contro i petali corallo di una rosa meravigliosa. Lord Arthur si sentì stranamente commosso, senza saperc perché. La delicata bellezza dell'alba aveva qualcosa d'indicibilmente toccante, e il giovane pensò a tutti i giorni che iniziano radiosi e si chiudono in tempesta. E quei contadini, con le loro voci rozze e cordiali, con i loro modi disinvolti, che strana Londra vedevano! Una Londra libera dal peccato della notte e dai fumi del giorno, una città pallida e spettrale, una desolata città di sepolcri! Si chiese cosa pensavano, se sapevano qualcosa del suo splendore e delle sue vergogne, delle sue gioie ardenti, feroci, e della sua fame terribile, di tutto ciò che nasce e muore nell'arco di una sola giornata. Probabilmente per loro era solo un mercato dove andavano a vendere la frutta e dove si trattenevano per qualche ora al massimo, lasciando le strade ancora silenziose e le case ancora assopite. Era bello guardarli passare. Per quanto fossero grezzi, con le loro scarpe pesanti e chiodate e la loro andatura goffa, avevano qualcosa di immediato, di reale. Sentiva che avevano vissuto a contatto con la Natura e che questa aveva insegnato loro la pace. Li invidiava per tutto quel che non sapevano.

Quando arrivò in Belgrave Square, il cielo era di un azzurro pallido e gli uccelli cominciavano a cinguettare nei giardini.

III

Lord Arthur si svegliò che era mezzogiorno. Il sole filtrava dentro la stanza attraverso tende di seta color avorio. Si alzò e guardò fuori dalla finestra. Una foschia calda e indistinta aleggiava sopra la grande città e i tetti delle case sembravano di argento opaco. Nel verde tremante della piazza di sotto, alcuni bambini svolazzavano come farfalle bianche e i marciapiedi erano gremiti di gente diretta al parco. La vita non gli era mai sembrata più incantevole, né il male più lontano.

Poi il domestico gli portò una tazza di cioccolata su un vassoio. Quando l'ebbe bevuta, scostò una pesante *portière* di velluto color pesca e andò in bagno. La luce scendeva delicatamente dall'alto attraverso sottili lastre di onice trasparente e l'acqua nella vasca di marmo luccicava come pietra di luna. Vi s'immerse rapidamente, finché le increspature fresche non gli lambirono la gola e i capelli, poi tuffò dentro la testa come se volesse lavare via un vergognoso ricordo. Quando uscì, si sentiva quasi in pace. Le squisite sensazioni fisiche del momento l'avevano vinto, come succede spesso alle nature finemente forgiate, perché i sensi, come il fuoco, possono distruggere ma anche purificare.

Dopo colazione si sdraiò su un divano e si accese una sigaretta. Sulla mensola del caminetto, incorniciata in uno squisito broccato antico, c'era una grande fotografia di Sybil Merton come l'aveva vista la prima volta al ballo di Lady Noel. La testa piccola e squisita era piegata leggermente di lato, come se la gola esile quanto un fuscello non riuscisse a sopportare il peso di tanta bellezza. Le labbra, leggermente aperte, sembravano fatte per una dolce melodia e dagli occhi sognanti traspariva tutta la tenera, meravigliata purezza della gioventù. Con l'abito morbido e aderente di *crêpe-de-chine* e il grande ventaglio a forma di foglia, sembrava una di quelle piccole, delicate figure che si trovano negli oliveti vicino a Tanagra, e nella sua posa e contegno c'era un tocco di grazia greca. Eppure non era *petite*. Era solo perfettamente proporzionata, cosa rara per un'epoca in cui così tante donne sono troppo grosse o troppo insignificanti.

Guardandola, Lord Arthur si sentì pervadere dalla terribile pietà che scaturisce dall'amore. Sapeva che sposarla, con la maledizione dell'omicidio che gli gravava sul capo, equivaleva a un tradimento come quello di Giuda, a un peccato peggiore di quelli mai concepiti dai Borgia. Quale felicità li aspettava, se da un momento all'altro poteva esser chiamato a eseguire la terribile profezia scritta sulla sua mano? Che vita potevano avere, se il fato teneva quell'atroce destino sulla bilancia? Il matrimonio doveva essere posticipato, a qualunque costo. Su questo non c'erano dubbi. Anche se amava ardentemente la ragazza e bastava il tocco delle sue dita, quand'erano seduti vicini, a fargli fremere ogni nervo del corpo di una gioia sublime, vedeva chiaramente qual era il suo dovere ed era perfettamente consapevole di non poterla sposare finché non avesse commesso il delitto. Solo allora poteva salire all'altare con Sybil Merton e consegnare la propria vita nelle sue mani senza il terrore di aver sbagliato. Solo allora poteva prenderla tra le braccia sapendo che non avrebbe mai dovuto arrossire per lui, che non avrebbe mai dovuto abbassare il capo per la vergogna. Ma prima bisognava sistemare quella faccenda, e prima lo si faceva, meglio era per entrambi.

Molti uomini, nella sua posizione, avrebbero pre-

ferito la facile via del compromesso alle altezze scoscese del dovere; ma Lord Arthur era troppo coscienzioso per anteporre il piacere alla rettitudine. Il suo
amore non era semplice passione e per lui Sybil simboleggiava tutto ciò che era buono e nobile. Provò un
iniziale senso di repulsione per quel che gli era stato
richiesto, ma scomparve nel giro di poco. Il suo cuore gli disse che non era un peccato, ma un sacrificio,
e la sua ragione gli ricordò che non c'erano altre strade praticabili. Doveva scegliere se vivere per sé o vivere per gli altri e, sebbene quel compito fosse indubbiamente atroce, sapeva che non doveva lasciar vincere l'egoismo sull'amore. Presto o tardi siamo tutti
chiamati a risolvere questo dilemma; presto o tardi, ci
troviamo tutti di fronte a una simile scelta. A Lord
Arthur successe presto nella vita, prima che la sua natura fosse rovinata dal cinismo calcolatore della mezza età o che il suo cuore fosse corroso dal vuoto, elegante egoismo della nostra epoca – e non ebbe alcuna
esitazione a compiere il suo dovere. Inoltre, fortunatamente per lui, non era un semplice sognatore o un
pigro dilettante. In quel caso avrebbe esitato come Amleto, permettendo all'indecisione di guastare il suo proposito. Ma Lord Arthur era un uomo profondamente
pratico. La vita per lui significava azione più che pensiero. E inoltre, possedeva quel dono rarissimo chiamato buon senso.

I feroci, torbidi pensieri della notte prima si erano
ormai dileguati e ora ripensava quasi con vergogna al
suo folle girovagare per le strade, alla sua violenta agonia emotiva. La sincerità stessa delle sue sofferenze
gliele faceva sembrare irreali. Si chiese come aveva potuto essere così sciocco da dare in escandescenze per
ciò che era inevitabile. L'unico quesito che adesso lo
tormentava era chi doveva uccidere; perché non era
cieco al fatto che l'omicidio, come le religioni pagane,
richiedeva tanto un sacerdote quanto una vittima. Non
essendo un genio, non aveva nemici, capiva anzi che
non era quello il momento di soddisfare rancori o an-

tipatie personali, perché la missione in cui era coinvolto era della massima solennità. Stilò quindi una lista dei suoi amici e parenti su un foglio e, dopo un'attenta riflessione, si decise a favore di Lady Clementina Beauchamp, un'adorabile vecchietta che viveva in Curzon Street e che era una sua cugina di secondo grado da parte di madre. Era da sempre molto affezionato a Lady Clem, come la chiamavano tutti, ed essendo egli stesso molto ricco, e avendo ereditato tutti i beni di Lord Rugby non appena diventato maggiorenne, non avrebbe ricavato nessun basso vantaggio economico dalla sua morte. Anzi, più ci pensava, più la vecchietta gli sembrava la persona ideale e, convinto che temporeggiare sarebbe stato ingiusto nei confronti di Sybil, decise di mettersi subito all'opera.

La prima cosa da fare, ovviamente, era regolare il conto con il chiromante. Si sedette quindi al piccolo scrittoio Sheraton che c'era accanto alla finestra, compilò un assegno di centocinque sterline pagabile all'ordine del signor Septimus Podgers e, chiusolo in una busta, disse al suo domestico di portarlo in West Moon Street. Quindi chiamò la scuderia perché preparassero il calesse e si vestì per uscire. Al momento di lasciare la stanza lanciò un'ultima occhiata alla fotografia di Sybil Merton e giurò che, qualunque cosa fosse successa, non le avrebbe mai rivelato cosa stava facendo per amor suo, ma avrebbe sempre serbato il segreto di quel sacrificio nel proprio cuore.

Sulla strada per il Buckingham si fermò da un fiorista e mandò a Sybil un bellissimo cesto di narcisi dai deliziosi petali bianchi con i cuori simili a penetranti occhi di fagiano. Giunto al club andò subito in biblioteca, suonò il campanello e ordinò al cameriere di portargli una limonata con soda e un libro di tossicologia. Si era convinto ormai che il veleno fosse il mezzo migliore per quella fastidiosa faccenda. La violenza fisica lo disgustava e inoltre non voleva che l'omicidio di Lady Clementina attirasse l'attenzione pubblica, poiché non sopportava l'idea di essere messo in mostra in casa di Lady Windermere o di veder scritto il proprio nome sui volgari giornaletti mondani. Doveva anche pensare al padre e alla madre di Sybil, che erano persone piuttosto all'antica e potevano opporsi al matrimonio se fosse scoppiato uno scandalo – pur sapendo in cuor suo che, se avesse raccontato loro le circostanze del caso, sarebbero stati i primi ad apprezzare i moventi delle sue azioni. Aveva tutte le ragioni, quindi, per propendere per il veleno. Era sicuro, efficace e discreto, ed eliminava la necessità di scene penose per le quali, da buon inglese, nutriva una profonda avversione.

Della scienza dei veleni, però, non sapeva nulla e, visto che il cameriere non riuscì a trovare altro che cose come la "Ruff's Guide" o il "Bailey's Magazine", cominciò a cercare egli stesso tra gli scaffali, finché non trovò un'edizione ben rilegata della *Pharmacopoeia* e una copia della *Tossicologia* di Erskine curata da Sir Mathew Reid, presidente del Collegio Reale dei Medici nonché membro storico del Buckingham, dov'era stato eletto per sbaglio al posto di un'altra persona: un *contretemps* che aveva irritato a tal punto la commissione che, quando si era presentato il vero candidato, l'avevano respinto all'unanimità. Lord Arthur rimase alquanto perplesso dai termini tecnici utilizzati in entrambi i libri e cominciava già a pentirsi di non aver studiato con più attenzione i suoi testi classici a Oxford, quando nel secondo volume di Erskine trovò una descrizione accurata e molto interessante delle proprietà dell'aconitina, scritta in un inglese abbastanza comprensibile. Era proprio il veleno che faceva al caso suo. Aveva un effetto rapido, anzi, quasi immediato; era assolutamente indolore e, se assunta sotto forma di capsule di gelatina, come consigliava Sir Mathew, non era per niente sgradevole al gusto. Si annotò dunque sul polsino della camicia la quantità necessaria per una dose fatale, rimise i libri al loro posto e s'incamminò per St James's Street verso la celebre farmacia Pestle and Humbey. Il signor Pestle, che serviva sempre di persona i clienti aristocratici, fu alquanto sorpreso della richiesta e, molto rispettosamente, mormorò qualcosa sulla necessità di una ricetta medica. Tuttavia, non appena Lord Arthur gli spiegò che era per un grosso mastino norvegese di cui si doveva sbarazzare perché cominciava a mostrare i sintomi della rabbia e aveva già azzannato due volte il cocchiere al polpaccio, l'uomo si mostrò pienamente convinto, si congratulò con Lord Arthur per la sua meravigliosa conoscenza della tossicologia e fece preparare subito la ricetta.

Lord Arthur mise la capsula in una graziosa *bonbonnière* d'argento che trovò nella vetrina di un negozio di Bond Street, buttò via il brutto portapillole di Pestle and Humbey e si diresse subito a casa di Lady Clementina.

"Ebbene, *Monsieur le mauvais sujet*," esclamò la vecchietta vedendolo entrare, "perché non sei venuto a trovarmi per tutto questo tempo?"

"Mia cara Lady Clem, non ho mai un attimo nemmeno per me," rispose Lord Arthur con un sorriso.

"Vorrai dire, immagino, che te ne vai in giro tutto il giorno con la signorina Sybil Merton a comprare *chiffon* e a parlare di sciocchezze. Non capisco perché la gente fa tanto chiasso quando si tratta di sposarsi. Ai miei tempi non ci saremmo mai sognati di civettare in pubblico – e se è per questo nemmeno in privato."

"Le assicuro che non vedo Sybil da ventiquattro ore, Lady Clem. Per quel che ne so, appartiene tutta alle sue modiste."

"Certo: è questo l'unico motivo per cui vieni a trovare una brutta vecchia come me. Mi sorprende che voi uomini non lo vogliate capire. *On a fait des folies pour moi*, e ora eccomi qua, una povera creatura piena di reumatismi, con la parrucca e di pessimo umore. Se non fosse per la cara Lady Jansen, che mi manda tutti i peggiori romanzi francesi che riesce a trovare, non saprei proprio come arrivare a fine giornata. I dottori non servono a niente, se non a intascare parcelle. Non riescono nemmeno a curarmi il bruciore di stomaco."

"Le ho portato un rimedio per questo, Lady Clem," disse Lord Arthur gravemente. "Una cosa prodigiosa, inventata da un americano."

"Non credo che mi piacciano le invenzioni americane, Arthur. Neanche un po'. Di recente ho letto alcuni romanzi americani ed erano alquanto assurdi."

"Oh, ma questo non è affatto assurdo, Lady Clem! Le assicuro che è un rimedio fantastico. Mi prometta che lo proverà," e Lord Arthur tolse la scatoletta di tasca e gliela porse.

"Be', la scatoletta è deliziosa, Arthur. Davvero è un regalo? Molto carino da parte tua. E questa è la medicina prodigiosa? Sembra un *bonbon*. La prendo subito."

"Santo cielo, Lady Clem!" gridò Lord Arthur afferrandole la mano. "Non può. È una medicina omeopatica e, se la prende quando non ha bruciori di stomaco, rischia di farle malissimo. Aspetti di avere un attacco, e poi la prenda. Rimarrà sbalordita dal risultato."

"Vorrei prenderla adesso," disse Lady Clementina alzando alla luce la piccola capsula trasparente in cui fluttuava l'aconitina liquida. "Sono sicura che è squisita. Il fatto è che, pur detestando i dottori, adoro le medicine. Comunque, la terrò per il prossimo attacco."

"E quando crede che sarà?" chiese ansiosamente Lord Arthur. "Presto?"

"Spero non prima di una settimana. Ne ho avuto uno fortissimo ieri mattina. Ma non si sa mai."

"Quindi è sicura che ne avrà uno entro la fine del mese, Lady Clem?"

"Temo di sì. Ma come sei premuroso oggi, Arthur! Si vede che Sybil ti ha fatto un gran bene. E adesso devi scappare perché aspetto a pranzo della gente molto noiosa, che non fa mai pettegolezzi, e so che se non mi riposerò un po' adesso non riuscirò a tenere gli occhi aperti. Arrivederci, Arthur, salutami tanto Sybil e grazie ancora per la medicina americana."

"Non si scorderà di prenderla, vero, Lady Clem?" disse Lord Arthur alzandosi.

"Certo che no, sciocchino. Sei stato gentilissimo a preoccuparti per me e ti scriverò se me ne servirà dell'altra."

Lord Arthur lasciò la casa di ottimo umore e con una sensazione d'immenso sollievo.

Quella sera ebbe un colloquio con Sybil Merton. Le disse che si trovava improvvisamente in una situazione delicatissima, alla quale né l'onore né il dovere gli permettevano di sottrarsi. Le disse che il matrimonio per il momento doveva essere posticipato perché, finché non si fosse liberato di quelle terribili complicazioni, non poteva considerarsi un uomo libero. La implorò di fidarsi di lui e di non nutrire dubbi sul futuro. Tutto si sarebbe sistemato, ma bisognava avere pazienza.

La scena ebbe luogo nella serra di casa Merton, in Park Lane, dove Lord Arthur aveva pranzato come al solito. Sybil non gli era mai sembrata più felice, e per un attimo Lord Arthur era stato tentato di agire da codardo, di scrivere a Lady Clementina dicendole della pillola e di portare a termine il matrimonio come se il signor Podgers non fosse mai esistito. Ma la sua natura migliore ebbe presto il sopravvento e non vacillò nemmeno quando Sybil gli si buttò tra le braccia piangendo. La bellezza che gli risvegliava i sensi aveva toccato anche la sua coscienza. Sapeva che sarebbe stato un errore rovinare una vita così preziosa per il piacere di pochi mesi.

Rimase con Sybil fin quasi a mezzanotte, consolandola e facendosi consolare a sua volta, e la mattina dopo partì per Venezia di buon'ora, dopo aver scritto al signor Merton una lettera ferma e virile sulla necessità di posticipare il matrimonio.

IV

A Venezia incontrò suo fratello, Lord Surbiton, che era arrivato con il suo yacht da Corfù. I due giovani trascorsero insieme due settimane deliziose. Di mattina cavalcavano lungo il Lido o navigavano per i verdi canali con la loro lunga gondola nera; di pomeriggio ricevevano ospiti a bordo dello yacht e di sera cenavano al Florian e fumavano innumerevoli sigarette seduti in piazza. Eppure Lord Arthur non si sentiva felice. Ogni giorno guardava la colonna dei necrologi del "Times" cercando la notizia della morte di Lady Clementina, ma ogni giorno rimaneva deluso. Cominciò a temere che qualcosa fosse andato storto e si pentì più volte di averle impedito di prendere l'aconitina quando si era mostrata tanto ansiosa di provarla. Le lettere di Sybil, poi, per quanto affettuose, tenere e fiduciose, avevano spesso un tono così malinconico da indurlo a pensare, a volte, di averla perduta per sempre.

Dopo due settimane, Lord Surbiton si stancò di Venezia e decise di navigare lungo la costa fino a Ravenna, avendo sentito che la pineta era un posto magnifico per la caccia al gallo selvatico. Sulle prime Lord Arthur si rifiutò categoricamente di andare con lui, ma Surbiton, al quale era profondamente legato, alla fine lo convinse che se fosse rimasto al Danieli da solo sarebbe morto di noia. Così la mattina del 15 si imbarcarono, con un forte vento di nordest e un mare piuttosto mosso. La caccia fu eccellente e la vita libera e all'aria aperta riportò un po' di colore sulle guance di Lord Arthur, ma verso il 22 cominciò a preoccuparsi di Lady Clementina e, nonostante le proteste di Surbiton, tornò a Venezia in treno.

Come scese dalla gondola e salì i gradini dell'hotel, il proprietario gli andò incontro con un fascio di telegrammi. Lord Arthur quasi glieli strappò di mano e li aprì all'istante. Il suo piano era riuscito. Lady Clementina era morta improvvisamente la sera del 17!

Il suo primo pensiero andò a Sybil, a cui mandò un telegramma annunciandole il suo immediato rientro a Londra. Poi ordinò al cameriere di preparare i bagagli da inviare con il corriere della sera, pagò i gondolieri cinque volte la somma pattuita e corse di sopra nella sua stanza con il passo leggero e il cuore gioioso. Là trovò tre lettere ad attenderlo. Una era della stessa Sybil, piena di affettuose condoglianze. Le altre erano di sua madre e dell'avvocato di Lady Clementina. A quanto pare quella sera l'anziana donna aveva cenato con la duchessa, deliziando tutti con il suo *esprit* e le sue battute, ma era tornata a casa piuttosto presto, lamentando un bruciore di stomaco. La mattina dopo era stata trovata morta nel suo letto, senza traccia di sofferenza. Avevano mandato subito a chiamare Sir Mathew Reid, ma ovviamente era stato inutile: l'anziana donna sarebbe stata sepolta il giorno 22 a Beauchamp Chalcote. Alcuni giorni prima di morire aveva redatto il proprio testamento, secondo il quale lasciava a Lord Arthur la sua piccola casa in Curzon Street insieme a tutti i mobili, gli effetti personali e i dipinti, a eccezione della collezione di miniature, che sarebbe andata a sua sorella, Lady Margaret Rufford, e della collana di ametiste, destinate a Sybil Merton. Non era certo un patrimonio ma il signor Mansfield, l'avvocato, intimava a Lord Arthur di fare ritorno il prima possibile perché erano rimasti diversi conti in sospeso e Lady Clementina non era mai stata molto ordinata negli affari.

Lord Arthur fu molto toccato dal gesto gentile di Lady Clementina e pensò che il signor Podgers avesse molto di cui rispondere. Il suo amore per Sybil, però, superava ogni altra emozione e la consapevolezza di aver fatto il proprio dovere gli dava un senso di pace e di sollievo. Quando arrivò a Charing Cross, si sentiva assolutamente felice.

I Merton lo accolsero molto cordialmente. Sybil gli fece promettere che niente li avrebbe più separati e il matrimonio fu fissato per il 7 giugno. La vita gli sembrò di nuovo bella e gioiosa e la spensieratezza di un tempo tornò a farsi sentire.

Un giorno, però, mentre passava in rassegna la casa di Curzon Street insieme all'avvocato di Lady Clementina e alla stessa Sybil, bruciando fasci di lettere sbiadite e vuotando cassetti pieni di cianfrusaglie, la ragazza mandò un improvviso grido di gioia.

"Cos'hai trovato, Sybil?" chiese Lord Arthur con un sorriso, alzando gli occhi dal proprio lavoro.

"Questa deliziosa *bonbonnière* d'argento, Arthur. Non ha un'aria pittoresca e olandese? Ti prego, regalamela! Le ametiste mi doneranno solo quando avrò superato gli ottant'anni."

Era la scatoletta che aveva contenuto l'aconitina.

Lord Arthur sussultò e le sue guance arrossirono lievemente. Aveva rimosso quasi del tutto l'intera faccenda e gli sembrò una coincidenza curiosa che fosse proprio Sybil, per la quale aveva vissuto quella terribile angoscia, a ricordargliela.

"Prendila pure, Sybil. L'ho regalata io stesso alla povera Lady Clem."

"Oh, grazie, Arthur! E posso prendere anche il *bonbon*? Non pensavo che a Lady Clementina piacessero i dolci. Credevo che fosse un tipo troppo intellettuale."

Lord Arthur diventò pallido come un lenzuolo e un pensiero orribile gli attraversò la mente.

"Il *bonbon*, Sybil? Cosa vorresti dire?" disse lentamente, con la voce roca.

"Solo che ce n'è uno qua dentro. Sembra vecchio e polveroso e non ho nessuna intenzione di mangiarlo. Che ti prende, Arthur? Come sei pallido!"

Lord Arthur si precipitò da lei e afferrò la scatoletta. All'interno c'era la capsula ambrata, con la sua bolla di veleno. Quindi Lady Clementina era morta di morte naturale!

Lo choc per la scoperta era quasi insostenibile. Buttò la capsula nel fuoco e si lasciò cadere sul divano con un grido di disperazione.

V

Il signor Merton rimase molto turbato per il secondo rinvio delle nozze e Lady Julia, che aveva già ordinato l'abito per la cerimonia, fece di tutto per convincere Sybil a rompere il fidanzamento. Tuttavia, per quanto amasse sua madre, Sybil aveva consegnato la propria vita nelle mani di Lord Arthur e nulla di quel che disse Lady Julia poté farle cambiare idea. Per quel che riguarda Lord Arthur, gli ci vollero dei giorni per superare la terribile delusione e per un certo periodo soffrì di esaurimento nervoso. Il suo straordinario buon senso, però, ebbe la meglio e la sua sana e pratica intelligenza dissipò presto ogni dubbio sul da farsi. Se il veleno si era dimostrato completamente inutile, avrebbe provato con la dinamite o con un altro esplosivo.

Studiò di nuovo la lista di amici e parenti e, dopo un'attenta riflessione, decise di far saltare in aria suo zio, il decano di Chichester. Il decano, uomo di grande cultura e sapere, aveva una passione per gli orologi e ne possedeva una meravigliosa collezione che spaziava dal quindicesimo secolo ai tempi nostri. Lord Arthur vide nell'hobby del buon decano una splendida opportunità per realizzare il suo piano. Dove procurarsi un ordigno era, ovviamente, un altro paio di maniche. L'elenco telefonico di Londra non gli fu d'aiuto e sapeva che non sarebbe servito a nulla chiedere a Scotland Yard, che sembrava sempre all'oscuro dei movimenti dei dinamitardi se non a esplosione avvenuta, e anche allora ci capiva ben poco.

Tutt'a un tratto si ricordò del suo amico Rouvaloff, un giovane russo di decise tendenze rivoluzio-
narie che aveva conosciuto da Lady Windermere l'in-
verno prima. Si diceva che il conte Rouvaloff stesse
scrivendo una biografia di Pietro il Grande e che fosse venuto in Inghilterra per studiare i documenti re-
lativi al soggiorno dello zar in questo paese come car-
pentiere navale; ma tutti sospettavano che fosse un
agente nichilista e senza dubbio l'ambasciata russa
non vedeva di buon occhio la sua presenza a Londra.
Lord Arthur pensò che fosse proprio l'uomo che faceva al caso suo e una mattina si recò in carrozza al
suo appartamento di Bloomsbury per chiedergli con-
siglio e assistenza.

"E così vuoi darti seriamente alla politica?" disse
il conte Rouvaloff dopo che Lord Arthur gli ebbe spiegato lo scopo della sua visita. Ma Lord Arthur, che de-
testava le millanterie, dovette ammettere che non aveva nessun interesse per le questioni sociali e che voleva
l'ordigno per una faccenda puramente familiare, che
riguardava lui e nessun altro.

Il conte Rouvaloff lo guardò sorpreso per alcuni
istanti e poi, vedendo che faceva sul serio, scrisse un
indirizzo su un foglietto, lo siglò con le sue iniziali e
glielo porse sopra il tavolo.

"Scotland Yard pagherebbe oro per sapere questo
indirizzo, mio caro."

"Non lo avrà," esclamò Lord Arthur ridendo e, dopo aver stretto calorosamente la mano al giovane russo, corse di sotto, lesse il foglietto e disse al cocchiere
di portarlo in Soho Square.

Là lo congedò e s'incamminò per Greek Street, finché non giunse a un posto chiamato Bayle's Court. Su-
però un portone e si ritrovò in un curioso *cul-de-sac*,
forse occupato da una lavanderia dato che c'era una
rete perfetta di corde da bucato che si estendeva da
casa a casa e un fluttuare di lenzuola bianche nell'a-
ria del mattino. Camminò fino in fondo e bussò a una
piccola casa verde. Dopo una discreta attesa, durante

la quale ogni finestra del cortile si popolò di volti sfocati e curiosi, la porta fu aperta da uno straniero dall'aria piuttosto rude, che gli chiese cosa cercava in un pessimo inglese. Lord Arthur gli allungò il foglio che gli aveva dato il conte Rouvaloff. Vedendolo, l'uomo s'inchinò e lo invitò in uno squallido salotto al pianterreno. Pochi attimi dopo Herr Winckelkopf, come si faceva chiamare in Inghilterra, piombò dentro con un tovagliolo chiazzato di vino attorno al collo e una forchetta nella mano sinistra.

"Il conte Rouvaloff mi ha dato una lettera di presentazione," disse Lord Arthur con un inchino, "e vorrei fare due chiacchiere con lei per questioni d'affari. Mi chiamo Smith, Robert Smith, e avrei bisogno che mi procurasse un orologio esplosivo."

"Lieto di conoscerla, Lord Arthur," rispose ridendo il gioviale e piccolo tedesco. "Non si spaventi, è mio dovere conoscere tutti, e ricordo di averla vista una sera da Lady Windermere. Spero che Sua Signoria stia bene. Le spiace farmi compagnia mentre finisco la colazione? C'è dell'ottimo *pâté* e i miei amici sostengono che un vino del Reno così prelibato non si trovi nemmeno all'ambasciata tedesca," e, prima che Lord Arthur potesse riaversi dalla sorpresa di essere stato riconosciuto, si ritrovò seduto nella stanza sul retro a sorseggiare un delizioso Marcobrünner da un calice giallo paglierino con inciso il monogramma imperiale e a chiacchierare in termini amichevoli con il famoso sovversivo.

"Non è facile esportare orologi esplosivi," disse Herr Winckelkopf, "perché, anche se riescono a superare la dogana, il servizio ferroviario è talmente irregolare che di solito esplodono prima di arrivare a destinazione. Se però ne vuole uno per uso domestico, posso darle un ottimo articolo e garantirle che sarà soddisfatto del risultato. Posso chiederle per chi è? Se è per la polizia o per qualcuno legato a Scotland Yard, temo di non poter fare nulla per lei. I detective inglesi sono davvero i nostri migliori amici ed è un fatto che, grazie alla loro stupidità, possiamo fare tutto ciò che ci pare. Non potrei rinunciare nemmeno a uno di loro."

"Le assicuro che non c'entra niente la polizia. In realtà l'orologio è per il decano di Chichester."

"Accidenti! Non pensavo che la religione l'interessasse tanto, Lord Arthur. Non capita a molti giovani, oggigiorno."

"Temo che mi sopravvaluti, Herr Winckelkopf," disse Lord Arthur arrossendo. "In realtà non so proprio niente di teologia."

"Quindi è una faccenda puramente personale?"

"Puramente personale."

Herr Winckelkopf si strinse nelle spalle e lasciò la stanza, facendo ritorno pochi minuti dopo con una tavoletta tonda di dinamite grande quanto un penny e un grazioso orologio francese sormontato da un'effigie in bronzo dorato della Libertà nell'atto di schiacciare l'idra del Dispotismo.

Il volto di Lord Arthur s'illuminò. "È proprio quello che sto cercando," esclamò, "e adesso mi spieghi come farlo esplodere."

"Ah! Questo è un segreto," rispose Herr Winckelkopf, contemplando la propria invenzione con un comprensibile senso d'orgoglio. "Mi faccia sapere quando vuole che esploda e lo programmerò io stesso."

"Be', oggi è martedì, e se lo spedisse subito..."

"Questo è impossibile; ho del lavoro importante da sbrigare per certi amici di Mosca. Però potrei spedirlo domani."

"Oh, va bene lo stesso!" disse Lord Arthur educatamente. "Purché sia consegnato domani sera o giovedì mattina. Per il momento dell'esplosione, facciamo venerdì a mezzogiorno in punto. Il decano è sempre in casa a quell'ora."

"Venerdì a mezzogiorno," ripeté Herr Winckelkopf, prendendo nota su un grande registro che c'era sullo scrittoio accanto al camino.

"E ora," disse Lord Arthur alzandosi, "mi dica, la prego, quanto le devo."

"È una tale sciocchezza, Lord Arthur, che non voglio denaro. La dinamite costa sette scellini e sei penny, l'orologio tre sterline e dieci e la carrozza cinque scellini circa. Per me è sempre un piacere aiutare gli amici del conte Rouvaloff."

"Ma... per il disturbo, Herr Winckelkopf?"

"Oh, lasci stare! Non è nulla. Non lavoro per soldi: vivo solo per la mia arte."

Lord Arthur mise quattro sterline, due scellini e sei penny sul tavolo, ringraziò il piccolo tedesco per la cortesia e, declinato l'invito a prendere il tè insieme a certi anarchici nel secondo pomeriggio del sabato successivo, lasciò la casa e si diresse al parco.

Passò i due giorni seguenti in uno stato di grande agitazione e venerdì a mezzogiorno si recò in carrozza al Buckingham per avere notizie. Per tutto il pomeriggio l'impassibile portiere del club non fece che affiggere telegrammi da varie parti del paese con risultati delle corse dei cavalli, verdetti delle cause di divorzio, condizioni del tempo e cose così, mentre il telegrafo ticchettava i noiosi dettagli di una seduta notturna alla Camera dei Comuni e di un attimo di panico alla Borsa Valori. Alle quattro arrivarono i giornali della sera e Lord Arthur scomparve in biblioteca con il "Pall Mall", il "St James's", il "Globe" e l'"Echo", suscitando l'enorme indignazione del colonnello Goodchild, che voleva leggere il resoconto di un suo discorso di quella mattina a Mansion House a proposito delle missioni in Sud Africa e dell'opportunità di avere vescovi neri in ogni provincia, e che per qualche motivo nutriva una profonda avversione per l'"Evening News". Nessun giornale, però, faceva il minimo accenno a Chichester e Lord Arthur dovette concludere che l'attentato era fallito. Fu un colpo terribile, che per un po' lo gettò nello sconforto. Il giorno dopo andò da Herr Winckelkopf, che si profuse in mille scuse e gli offrì un altro orologio, gratis, o una cassa di bombe alla nitroglicerina al prezzo di fabbrica. Ma Lord Arthur aveva ormai perso ogni fiducia negli esplosivi e lo stesso

Herr Winckelkopf ammise che di quei tempi le cose erano talmente alterate che era difficile trovare perfino della dinamite allo stato puro. Il piccolo tedesco tuttavia, pur riconoscendo che doveva essersi inceppato qualcosa nel meccanismo, non aveva perso la speranza che l'orologio potesse ancora esplodere e citò il caso di un barometro da lui mandato al governatore militare di Odessa che, pur essendo programmato per esplodere in dieci giorni, era scoppiato solo dopo tre mesi. Era vero che, allora, era riuscito solo a disintegrare una domestica, avendo il governatore lasciato la città sei settimane prima. Ma se non altro dimostrava che la dinamite, quand'era sottoposta a un controllo meccanico, aveva una forza distruttiva enorme, anche se non esattamente puntuale. Lord Arthur fu un po' consolato dalla riflessione, ma anche questa volta era destinato a rimanere deluso perché due giorni dopo, mentre saliva al piano di sopra, la duchessa lo chiamò nel suo salottino e gli mostrò una lettera che aveva appena ricevuto dalla canonica.

"Jane scrive delle lettere incantevoli," disse la duchessa, "deve assolutamente leggere l'ultima. Non ha niente da invidiare ai romanzi che ci manda Mudie."[2]

Lord Arthur le prese la lettera di mano e lesse:

CANONICA DI CHICHESTER,
27 maggio

Carissima zia,
grazie mille per la flanella per la Dorcas Society,[3] e anche per il percalle. Sono d'accordo con te sul fatto che non ha senso che certa gente voglia vestiti eleganti, ma oggigiorno sono tutti così radicali e poco religiosi che è difficile fargli capire che non dovrebbero cercare di vestirsi come le classi sociali più

---

[2] All'epoca, Charles Edward Mudie gestiva una biblioteca circolante molto nota e apprezzata. [*N.d.T.*]

[3] Le *Dorcas Societies* erano associazioni femminili che, appoggiandosi alla parrocchia locale, si occupavano di procurare abiti per i poveri. [*N.d.T.*]

elevate. Non so proprio dove andremo a finire. Come ha detto spesso papà nelle sue prediche, viviamo nell'epoca dello scetticismo.

Ci siamo divertiti un mondo grazie a un orologio che papà ha ricevuto da un ammiratore segreto giovedì scorso. È arrivato in una scatoletta di legno da Londra, trasporto pagato dal mittente, e papà è convinto che gliel'abbia mandato qualcuno che ha letto il suo eccezionale sermone intitolato *L'Eccesso è Libertà?*, perché sopra l'orologio c'era una figura di donna con quello che secondo lui è il berretto frigio. Per me non è granché, ma papà dice che è un pezzo storico, quindi suppongo che vada bene così. Parker l'ha scartato e papà l'ha messo sulla mensola del caminetto, e venerdì mattina eravamo tutti là seduti quando, non appena l'orologio ha suonato mezzogiorno, abbiamo sentito un ronzio, è uscito un piccolo sbuffo di fumo dal piedistallo della statuina e la dea della Libertà è caduta, rompendosi il naso contro il parafuoco! Maria si è spaventata molto, ma era una scena così ridicola che io e James siamo scoppiati a ridere e perfino papà sembrava divertito. Guardando meglio, abbiamo scoperto che si trattava di una specie di sveglia e che, se caricata a un certo orario e provvista di polvere da sparo e di una miccia sotto a un martelletto, scoppiava a comando. Papà ha detto che non si poteva lasciarla in biblioteca perché faceva rumore, così Reggie l'ha portata nel suo studio e adesso passa le giornate a innescare piccole esplosioni. Credi che ad Arthur possa piacere come regalo di nozze? Immagino che vadano molto di moda a Londra. Papà dice che sono cose istruttive perché dimostrano che la Libertà non può durare, ma è destinata a crollare. Dice anche che la Libertà è stata inventata ai tempi della Rivoluzione francese. Che cosa orribile!

Adesso devo andare alla Dorcas, dove leggerò la tua lettera così edificante. Hai ragione a dire, cara zia, che vista la loro posizione sociale, certa gente dovrebbe accontentarsi di abiti da due soldi. Devo ammettere che è proprio assurda, questa loro ossessione per i vestiti, quando ci sono così tante cose più importanti a questo mondo, e in quello che verrà. Sono contentissima che la tua *popeline* a fiori sia venuta così bene e che il merletto non si sia strappato. Mercoledì, dal vescovo, indosserò il vestito di raso giallo che mi hai gentilmente regalato e credo proprio che farò un figurone. Tu ci metteresti dei nastri? La Jennings dice che oggi tutte portano i nastri e che la sottoveste dovrebbe avere le balze. Reggie ha appena scatenato un'altra esplosione e papà ha ordinato di portare l'orologio nella scuderia. Credo che non gli piaccia più come prima, anche se è molto lusingato di aver ricevuto un giocattolo così bello e ingegnoso. È segno che la gente legge le sue prediche e ne trae beneficio.

Papà ti manda i suoi migliori saluti, insieme a James, Reggie e Maria, e speriamo tutti che la gotta di zio Cecil migliori, davvero, cara zia. La tua affezionata nipote,

JANE PERCY

P.s. Fammi sapere qualcosa dei nastri. La Jennings continua a dire che vanno di moda.

Lord Arthur lesse la lettera con un'espressione così seria e triste sul volto, che la duchessa scoppiò a ridere.

"Mio caro Arthur," esclamò, "non le mostrerò mai più nessuna lettera di una signorina! Ma che dire dell'orologio? Credo che sia un'invenzione fantastica, vorrei averne uno anch'io."

"Non mi sembra niente di che," disse Lord Arthur con un sorriso triste e, dato un bacio a sua madre, lasciò la stanza.

Giunto di sopra, si sdraiò su un divano e i suoi occhi si riempirono di lacrime. Aveva fatto del suo meglio per portare a termine il delitto, ma in entrambi i casi aveva fallito, e non per colpa sua. Aveva cercato di fare il suo dovere, ma sembrava che il destino stesso l'avesse tradito. Si sentiva schiacciato dalla sterilità delle buone intenzioni, dall'inutilità della rettitudine. Forse era meglio rompere il fidanzamento e basta. Sybil avrebbe sofferto, certo, ma la sofferenza non avrebbe certo guastato una natura nobile come la sua. Quanto a lui, che importanza aveva? Un uomo ha sempre una guerra in cui morire, una causa cui immolarsi e, se la vita non poteva dargli più piaceri, allora non doveva temere la morte. Che il destino si compisse. Non avrebbe fatto niente per aiutarlo.

Alle sette e mezzo si vestì e andò al club. Vi trovò Surbiton insieme a un gruppo di giovanotti e fu costretto a cenare con loro. Quelle chiacchiere vuote e le stupide battute lo annoiavano e, non appena fu servito il caffè, si allontanò con una scusa. Mentre usciva dal club, il portiere gli consegnò una lettera. Era di Herr Winckelkopf, che gli chiedeva di passare da lui la sera seguente per dare un'occhiata a un ombrello esplosivo che scoppiava non appena veniva aperto. Era l'ultimo ritrovato, appena arrivato da Ginevra. Strappò la lettera in mille pezzi. Aveva deciso di non tentare altri esperimenti. S'incamminò quindi lungo il Tamigi e rimase seduto per ore in riva al fiume. La luna faceva capolino come l'occhio di un leone attraverso una criniera di nubi rossicce e miriadi di stelle costellavano la cupa volta celeste come polvere d'oro cosparsa su una cupola purpurea. Di tanto in tanto una chiatta scivolava sul fiume torbido e si allontanava trasportata dalla marea, e i segnali ferroviari passavano dal verde al rosso mentre i treni sferragliavano veloci sul ponte. Dopo un po', l'alta torre di Westminster suonò la mezzanotte e l'oscurità sembrò sussultare a ogni forte rintocco di campana. Poi le luci della ferrovia si spensero, lasciando un lampione solo a brillare come un grosso rubino su un gigantesco albero maestro, e il fragore della città si affievolì.

Alle due, Lord Arthur si alzò e si diresse verso Blackfriars. Come tutto gli sembrava irreale! Pareva uno strano sogno. Le case dall'altra parte del fiume sembravano fatte di tenebre, come un altro mondo modellato nell'argento e nell'ombra. La grande cupola della cattedrale di St Paul si stagliava come una bolla nell'aria oscura.

Giunto nei pressi dell'obelisco di Cleopatra, vide un uomo chino sul parapetto. Mentre si avvicinava, quello alzò lo sguardo, il volto illuminato dalla luce del lampione a gas.

Era il signor Podgers, il chiromante! Impossibile non riconoscere quel volto grasso e flaccido, gli occhiali dalla montatura d'oro, il sorrisetto subdolo, la bocca sensuale.

Lord Arthur si fermò. Colto da un'idea fulminea, cominciò ad avvicinarsi furtivamente da dietro. In un attimo, afferrò il signor Podgers per le gambe e lo buttò nel Tamigi. Si udì un'imprecazione, un sonoro tonfo nell'acqua e poi più nulla. Lord Arthur guardò giù ansiosamente, ma non vide altro che il cappello a cilindro del chiromante che piroettava in un mulinello d'acqua al chiaro di luna. Dopo un po' scomparve anche quello e del signor Podgers non rimase più traccia. Per un attimo gli sembrò di vedere quel robusto corpo deforme che cercava di aggrapparsi alla scaletta vicino al ponte e fu preso dal terrore di aver fallito. Ma non era che un riflesso, e scomparve non appena la luna spuntò da dietro una nuvola. Finalmente, aveva compiuto il volere del destino. Mandò un profondo sospiro di sollievo e il nome di Sybil gli attraversò le labbra.

"Le è caduto qualcosa, signore?" disse improvvisamente una voce dietro di lui.

Lord Arthur si voltò e vide un poliziotto con una lanterna cieca.

"Niente d'importante, agente," rispose sorridendo e, fermata una carrozza, saltò su e disse al cocchiere di portarlo in Belgrave Square.

Passò i giorni seguenti oscillando tra un senso di paura e di speranza. C'erano momenti in cui si aspettava quasi di ritrovarsi il signor Podgers davanti e altri in cui si convinceva che il destino non poteva essergli così ingrato. Si recò due volte all'indirizzo del chiromante in West Moon Street, ma non trovò la forza di suonare il campanello. Aveva bisogno di una conferma, ma allo stesso tempo la temeva.

Finché non arrivò. Era seduto nella sala da fumo del club a bere un tè e ad ascoltare senza molto interesse il resoconto di Surbiton dell'ultima canzone comica del Gaiety, quando entrò il cameriere con i giornali della sera. Lord Arthur prese il "St James's" e cominciò a sfogliare svogliatamente le pagine, quando un titolo curioso attirò la sua attenzione:

Sbiancando dall'emozione, cominciò a leggere. Il trafiletto continuava:

Ieri mattina alle sette, il corpo del signor Septimus R. Podgers, il celebre chiromante, è stato riportato a riva dalle acque davanti allo Ship Hotel, a Greenwich. Lo sventurato signore era scomparso da alcuni giorni, destando forti preoccupazioni nei circoli chiromantici. Si suppone che si sia suicidato a causa di un temporaneo esaurimento nervoso dovuto a un eccesso di lavoro, cosa che è stata confermata questo stesso pomeriggio dal coroner. Il signor Podgers aveva da poco ultimato un complesso trattato sulla mano, che sarà pubblicato a breve e susciterà senz'altro grande interesse. Il defunto aveva sessantacinque anni e non sembra che abbia lasciato parenti.

Lord Arthur si precipitò fuori dal club con il giornale ancora in mano e, lasciando di stucco il portiere che cercò invano di fermarlo, si diresse subito in carrozza a Park Lane. Sybil lo vide dalla finestra e intuì che portava buone notizie. Corse subito di sotto e, quando vide il suo volto, capì che tutto si era risolto per il meglio.

"Mia cara Sybil," esclamò Lord Arthur, "sposiamoci domani!"

"Che sciocco! Non abbiamo ancora ordinato la torta!" disse lei, ridendo tra le lacrime.

VI

Il giorno del matrimonio, tre settimane dopo, la cattedrale di St Peter era gremita di una folla assolutamente elegante. La cerimonia fu condotta con grande solennità dal decano di Chichester e tutti convennero che non si era mai vista una coppia più bella. Non erano solo belli, in realtà: erano felici. Lord Arthur non si pentì mai, nemmeno per un istante, di quello che aveva dovuto patire per amore di Sybil e lei, da parte sua, gli diede quanto di meglio una donna può dare a un uomo: venerazione, tenerezza e amore. Il loro idillio non fu mai offuscato dalla realtà. Si sentivano sempre giovani.

Alcuni anni dopo, quando la coppia aveva già messo al mondo due bambini meravigliosi, Lady Windermere andò a trovarli ad Alton Priory, una bellissima dimora antica che il duca aveva regalato al figlio per le nozze. Un pomeriggio, mentr'era seduta con Lady Savile sotto un cedro del giardino e osservava i due bambini che si rincorrevano lungo il vialetto di rose come due raggi di sole intermittenti, prese all'improvviso la mano della padrona di casa e le chiese: "Sei felice, Sybil?".

"Cara Lady Windermere, certo che sono felice. E lei?"

"Non ne ho il tempo, Sybil. All'inizio le nuove conoscenze mi affascinano sempre ma, immancabilmente, mi stufo non appena le conosco meglio."

"I suoi leoni non la soddisfano, Lady Windermere?"

"Per carità, no! I leoni durano una sola stagione. Non appena gli si taglia la criniera, diventano gli esseri più noiosi del mondo. Inoltre, si comportano malissimo non appena li tratti bene. Ricordi quell'orribile signor Podgers? Era un tremendo impostore. Ovviamente la cosa non m'interessava, e l'ho perdonato anche quando mi ha chiesto dei soldi in prestito, ma non potevo sopportare che mi facesse pure la corte. Mi ha fatto odiare la chiromanzia. Adesso sono per la telepatia. È molto più divertente."

"Non parli male della chiromanzia in questa casa, Lady Windermere; è l'unica cosa su cui Arthur non transige. Le assicuro che la prende molto sul serio."

"Non mi starai dicendo che ci crede, Sybil?"

"Lo chieda a lui, Lady Windermere, eccolo che arriva." Lord Arthur comparve nel giardino con un gran mazzo di rose gialle in mano e i due figli che gli saltellavano attorno.

"Lord Arthur?"

"Sì, Lady Windermere?"

"Non mi dica che crede nella chiromanzia!"

"Certo che ci credo," rispose il giovane sorridendo.

"E perché?"

"Perché a essa devo tutta la felicità della mia vita," mormorò, buttandosi su una sedia di vimini.

"Mio caro Lord Arthur, cosa le deve?"

"Sybil," rispose, porgendo le rose a sua moglie e guardandola negli occhi violetti.

"Che sciocchezza!" esclamò Lady Windermere. "Non ho mai sentito una sciocchezza simile in vita mia."

LA SFINGE SENZA ENIGMI

Un'acquaforte

Un pomeriggio ero seduto fuori dal Café de la Paix a contemplare lo splendore e la desolazione della vita parigina e a riflettere in compagnia del mio vermut sulla strana commistione di orgoglio e povertà che mi sfilava davanti, quando mi sentii chiamare per nome. Voltandomi, vidi Lord Murchison. Ci eravamo persi di vista dai tempi del college, quasi dieci anni; ero quindi molto contento d'incontrarlo e ci stringemmo calorosamente la mano. A Oxford eravamo stati grandi amici. Mi piaceva moltissimo: era così bello, così brillante, così leale. Dicevamo di lui che sarebbe stato il migliore degli uomini se solo non avesse detto sempre la verità, ma credo che in realtà l'ammirassimo proprio per la sua franchezza. Lo trovai molto cambiato. Aveva un'aria inquieta e perplessa, come se fosse in dubbio su qualcosa. Non poteva trattarsi di scetticismo moderno, perché Murchison era un Tory convinto e credeva nel Pentateuco con la stessa fermezza con cui credeva nella Camera dei Lord. Conclusi quindi che c'era di mezzo una donna e gli chiesi se fosse già sposato.

"Non capisco abbastanza le donne," rispose.

"Mio caro Gerald," dissi, "le donne devono essere amate, non capite."

"Non posso amare qualcuno di cui non mi fido," ribatté.

"Credo che ci sia un mistero nella tua vita, Gerald," esclamai. "Dimmi tutto."

"Andiamo a fare un giro in carrozza," disse lui, "qua c'è troppa gente. No, non una carrozza gialla, qualsiasi altro colore... ecco, quella verde scuro può andare." Un attimo dopo stavamo trottando lungo il boulevard in direzione della Madeleine.

"Dove andiamo?" chiesi.

"Oh, dove vuoi!" rispose lui. "Andiamo al ristorante nel Bois; pranzeremo e mi racconterai tutto di te."

"Prima voglio sentire la tua storia," dissi. "Il tuo segreto."

Estrasse di tasca un astuccio in marocchino con un fermaglio d'argento e me lo porse. L'aprii. All'interno c'era la fotografia di una donna. Era alta e snella, e i grandi occhi assenti e i capelli sciolti le davano un'aria curiosamente pittoresca. Sembrava una *clairvoyante* ed era avvolta in un'elegante pelliccia.

"Che ne pensi di questo volto?" disse. "È sincero?"

Lo studiai con attenzione. Sembrava il volto di qualcuno che aveva un segreto, ma non avrei saputo dire se fosse un segreto bello o brutto. Era una bellezza plasmata su molti misteri – una bellezza più psicologica che plastica – e il debole sorriso che giocava sulle sue labbra era troppo sfuggente per essere davvero dolce.

"Ebbene," esclamò con impazienza, "che ne dici?"

"È la Gioconda in pelliccia di zibellino," risposi. "Dimmi tutto di lei."

"Non ora," disse lui, "dopo pranzo," e cominciò a parlare di altre cose.

Quando il cameriere ci portò caffè e sigarette, ricordai a Gerald della sua promessa. Si alzò dalla sedia, camminò su e giù per la sala due o tre volte e, sprofondando in una poltrona, mi raccontò questa storia:

"Una sera, verso le cinque," disse, "stavo camminando per Bond Street. C'era un terribile affollamento di carrozze e il traffico era quasi fermo. Lungo il marciapiede c'era una piccola vettura gialla che, per qualche motivo, attirò la mia attenzione. Superandola, vidi affiorare il volto che ti ho mostrato questo pomeriggio. Mi stregò all'istante. Ci pensai tutta la notte e tutto il giorno seguente. Vagai su e giù per il triste viale, sbirciando dentro ogni carrozza e aspettando la vettura gialla, ma non riuscii a trovare *ma belle inconnue* e alla fine mi convinsi che era stato solo un sogno. Circa una settimana dopo, fui invitato a casa di Madame de Rastail. La cena era fissata per le otto, ma alle otto e mezzo stavamo ancora aspettando in salotto. Alla fine il domestico spalancò la porta e annunciò Lady Alroy. Era la donna che avevo cercato. Entrò assai lentamente, come un raggio di luna avvolto nel merletto grigio e, con mio grande piacere, mi fu chiesto di accompagnarla a tavola. Quando fummo seduti, osservai con innocenza: 'Credo di averla vista in Bond Street qualche tempo fa, Lady Alroy'. Lei si fece pallidissima e mi disse sottovoce: 'La prego di abbassare la voce: potrebbero sentirla'. Dispiaciuto di quell'inizio maldestro, mi tuffai a capofitto in una conversazione sulle commedie francesi. Lei parlò pochissimo, sempre con quel tono basso e sommesso, quasi avesse paura che qualcuno la stesse ascoltando. Mi sentivo follemente, stupidamente innamorato, e la vaga atmosfera di mistero che l'avvolgeva accendeva in me un'incontenibile curiosità. Quando si congedò, subito dopo cena, le chiesi se potevo andarla a trovare. Esitò un attimo, si guardò attorno per vedere se c'era qualcuno nelle vicinanze, poi disse: 'Sì, domani alle cinque meno un quarto'. Implorai Madame de Rastail di dirmi qualcosa di quella donna, ma tutto ciò che riuscii a sapere fu che era una vedova con una splendida casa in Park Lane e, quando un rompiscatole con il pallino della scienza attaccò una tiritera sulle vedove quali esempio della sopravvivenza del coniuge più adatto al matrimonio, salutai e me ne tornai a casa.

"Il giorno dopo arrivai in Park Lane puntuale come un orologio svizzero, ma fui informato dal maggiordomo che Lady Alroy era appena uscita. Triste e alquanto perplesso, mi recai al club e dopo lunga riflessione le scrissi una lettera, chiedendole se mi era concesso riprovarci un altro pomeriggio. Mi rispose solo diversi giorni dopo, un breve messaggio in cui m'informava che sarebbe stata a casa domenica alle quattro, aggiungendo questo poscritto straordinario: 'La prego, non mi scriva più a questo indirizzo. Le spiegherò quando ci vedremo'.

"Domenica mi ricevette, e fu assolutamente cordiale, ma quando stavo per congedarmi m'implorò, in caso volessi scriverle di nuovo, di indirizzare la mia lettera alla 'Signora Knox, presso la Biblioteca di Whittaker, Green Street'. 'Per certi motivi,' disse, 'non posso ricevere lettere a casa mia.'

"Quella stagione la vidi spesso, e non perse mai quell'aria di mistero. A volte pensavo che ci fosse di mezzo un uomo, ma sembrava così inaccessibile che stentavo a crederci. Brancolavo nel buio: quella donna era come uno di quegli strani cristalli che si vedono nei musei e che un attimo sono trasparenti e l'attimo dopo opachi. Alla fine decisi di chiederla in moglie: ero stufo della continua segretezza che imponeva alle mie visite e alle poche lettere che le mandavo. Le scrissi alla biblioteca, chiedendole se potevamo vederci il lunedì successivo alle sei. Accettò, e mi sentii al settimo cielo dalla gioia. Ero invaghito di lei: nonostante il clima di mistero, pensavo allora – proprio per questo, mi rendo conto ora. No: era la donna in sé che amavo. Il suo mistero mi turbava, mi faceva impazzire. Perché il destino l'aveva messo sulla mia strada?"

"L'hai scoperto, dunque?" esclamai.

"Temo di sì," rispose. "Puoi giudicarlo tu stesso."

"Quando fu lunedì, andai a pranzo insieme a mio zio e verso le quattro mi ritrovai in Marylebone Road. Mio zio, sai, vive in Regent's Park. Per andare a Piccadilly, decisi di prendere una scorciatoia e di attraversare una serie di viuzze squallide. All'improvviso vidi Lady Alroy che camminava di fretta davanti a me, il volto coperto da un velo spesso. Giunta all'ultima casa in fondo alla strada, salì i gradini, estrasse una chiave ed entrò. 'Ecco il mistero,' dissi tra me e me, e mi affrettai verso la casa. Sembrava uno di quei posti che danno stanze in affitto. Sulla soglia, vidi che le era caduto il fazzoletto. Lo raccolsi e me lo misi in tasca, poi cominciai a riflettere sul da farsi. Arrivai alla conclusione che non avevo il diritto di spiarla e presi dunque una carrozza per il club. Alle sei andai a trovarla. Era distesa su un divano e indossava la sua solita veste color argento intessuta di strane pietre di luna. Era davvero bella. 'Sono così contenta di vederla,' disse. 'Oggi sono rimasta in casa tutto il giorno.' La guardai sbalordito e, togliendomi il fazzoletto di tasca, glielo porsi. 'L'ha perso questo pomeriggio in Cumnor Street, Lady Alroy,' dissi imperturbabile. Lei mi guardò terrorizzata, ma non prese il fazzoletto. 'Cosa ci faceva là?' chiesi. 'Che diritto ha d'interrogarmi?' rispose lei. 'Il diritto di un uomo che l'ama,' risposi. 'Sono venuto per chiederle di diventare mia moglie.' Si nascose il volto tra le mani e scoppiò a piangere a dirotto. 'Me lo deve dire,' continuai. Lei si alzò e, guardandomi dritto in volto, disse: 'Lord Murchison, non ho niente da dirle'. 'Aveva un appuntamento!' gridai. 'È questo il suo segreto.' Era pallida come un cadavere. 'Non avevo nessun appuntamento.' 'Non può dirmi la verità?' esclamai. 'Gliel'ho detta,' fu la sua risposta. Ero fuori di me, deliravo; non ricordo cosa le dissi, solo che erano cose orribili. Alla fine corsi fuori di casa. Il giorno dopo mi scrisse una lettera; gliela ritornai senza aprirla e partii per la Norvegia insieme ad Alan Colville. Quando tornai, un mese dopo, la prima cosa che vidi sul 'Morning Post,' fu la notizia della morte di Lady Alroy. Aveva preso freddo all'Opera ed era morta cinque giorni dopo per una congestione polmonare. Mi chiusi in casa e non volli vedere nessuno. Dio mio! Quanto avevo amato quella donna!"

"Sei tornato in quella strada, in quella casa?" gli chiesi.

"Sì," rispose. "Un giorno sono andato in Cumnor Street. Non potevo farne a meno; il dubbio mi tormentava. Bussai alla porta e venne ad aprire una donna dall'aria rispettabile. Le chiesi se aveva delle stanze da affittare. 'Vede, signore,' rispose, 'le stanze sarebbero affittate, ma dato che son tre mesi che non vedo la padrona, e nemmeno la pigione, posso darle a lei.' 'È questa la signora?' dissi, mostrandole la fotografia.' 'Sì, è proprio lei,' esclamò, 'quando tornerà, signore?' 'La signora è morta,' risposi. 'Oh, la prego, mi dica che non è vero!' disse la donna. 'Era la mia pensionante migliore. Mi pagava tre ghinee la settimana solo per sedersi nel salottino di tanto in tanto.' 'Incontrava qualcuno?' chiesi, ma la donna mi assicurò che non era così e che veniva sempre sola. 'Cosa diamine faceva, allora?' gridai. 'Sedeva nel salottino, tutto qua, signore. Leggeva dei libri e a volte prendeva il tè.' Non sapevo cosa dire, così le diedi una sovrana e me ne andai. Ora, cosa ne pensi di questa storia? Non crederai che quella donna mi abbia detto la verità?"

"Sì che ci credo."

"Ma che motivo aveva Lady Alroy di recarsi là?"

"Mio caro Gerald," risposi, "Lady Alroy era semplicemente una donna con il pallino del mistero. Prendeva in affitto quelle stanze per il piacere di andarci con il velo abbassato, immaginando di essere l'eroina di un romanzo. Aveva una passione per i segreti, ma in realtà era solo una sfinge senza segreti."

"Lo credi davvero?"

"Ne sono sicuro," risposi.

Estrasse l'astuccio di marocchino, l'aprì e guardò la fotografia.

"Chissà," disse infine.

IL MILIONARIO MODELLO

Una nota di ammirazione

A meno che uno sia ricco, non c'è bisogno che sia affascinante. Il fascino è un privilegio per ricchi, non un mestiere per disoccupati. I poveri dovrebbero essere pratici e prosaici. È meglio avere un reddito fisso che essere affascinanti. Sono queste le grandi verità della vita moderna che Hughie si ostinava a non capire. Povero Hughie! Intellettualmente, bisogna ammetterlo, non era granché. Non aveva mai detto una cosa brillante o anche solo sgarbata in vita sua. Era però molto bello, con i capelli castani ondulati, il profilo ben definito e gli occhi grigi. Piaceva sia agli uomini sia alle donne e aveva ogni genere di talento eccetto quello di fare soldi. Suo padre gli aveva lasciato in eredità la sua spada di cavaliere e una *Storia della Guerra Peninsulare* in quindici volumi. Hughie aveva messo la prima sopra lo specchio, la seconda su uno scaffale tra la "Ruff's Guide" e il "Bailey's Magazine" e viveva con le duecento sterline l'anno che gli passava una vecchia zia. Aveva provato di tutto. Si era messo in Borsa per sei mesi, ma cosa poteva fare una farfalla tra tori e orsi?[1] Era durato un po' di più come commerciante di tè, ma si era stancato presto di *pekoe* e *souchong*. Poi aveva provato a vendere sherry secco, ma non aveva funzionato: lo sherry l'aveva lasciato fin troppo a secco. Così aveva finito per non fare niente, ed era un giovanotto gradevole e nullafacente, con un profilo perfetto e nessun impiego.

[1] Nel gergo della Borsa, i rialzi e i ribassi. [*N.d.T.*]

Come se non bastasse, si era innamorato. La ragazza in questione si chiamava Laura Merton ed era figlia di un colonnello in pensione che aveva perso irrimediabilmente il buon umore e la digestione in India. Laura adorava il suo spasimante, che a sua volta avrebbe accettato persino di baciarle i piedi. Erano la coppia più bella di Londra e, fra tutt'e due, non avevano il becco di un quattrino. Il colonnello era molto affezionato a Hughie, ma non ne voleva sapere di fidanzamenti.

"Ragazzo, ne riparleremo quando avrai diecimila sterline," gli ripeteva, e Hughie, abbattuto, doveva correre da Laura per farsi consolare.

Una mattina, mentre era diretto a Holland Park, dove vivevano i Merton, si fermò a far visita a un suo caro amico, Alan Trevor. Trevor era un pittore. A dire il vero, pochi non lo sono di questi tempi. Ma era anche un artista, e gli artisti sono piuttosto rari. D'aspetto era un tipo strano e un po' grezzo, con un viso pieno di lentiggini e una barba rossiccia e incolta. Quando prendeva il pennello in mano, però, era un vero maestro e i suoi dipinti erano molto richiesti. Sulle prime, bisogna dirlo, si era sentito attratto da Hughie solo in virtù del suo fascino. "Le uniche persone che un pittore dovrebbe conoscere," ripeteva sempre, "sono quelle *bêtes* e belle: persone che siano gradevoli all'occhio e riposanti come interlocutori. Sono i dandy e le belle donne a governare il mondo, o così dovrebbe essere." Poi, con il tempo, cominciò ad apprezzare Hughie anche per il suo umore allegro e la natura generosa e impulsiva, e a lasciargli sempre aperte le porte del suo studio.

Entrando, Hughie trovò l'amico intento ad aggiungere gli ultimi tocchi a uno splendido ritratto in dimensioni reali di un mendicante. L'uomo era in piedi su una pedana rialzata in un angolo dello studio. Era un vecchio avvizzito, con il volto simile a pergamena increspata e un'espressione molto toccante. Sulle spalle aveva un logoro mantello marrone, tutto strappi e pezze; i suoi stivali pesanti erano rattoppati e chiodati e si reggeva con una mano a un grezzo bastone mentre con l'altra chiedeva l'elemosina porgendo un cappello sgualcito.

"Che modello straordinario!" sussurrò Hughie mentre stringeva la mano all'amico.

"Un modello straordinario?" esclamò Trevor a gran voce. "Lo credo bene! Non se ne incontrano mica ogni giorno, di mendicanti come lui. Una *trouvaille, mon cher.* Un Velázquez in carne e ossa! Santo cielo! Che acquaforte ne avrebbe fatto Rembrandt!"

"Poveraccio!" disse Hughie. "Che aria infelice! Ma immagino che voi pittori li vogliate così, vero?"

"Certamente," rispose Trevor, "non vorrai che un mendicante sembri felice, no?"

"Quanto prende un modello per posare?" chiese Hughie, accomodandosi sul divano.

"Uno scellino l'ora."

"E tu quanto chiedi per il quadro, Alan?"

"Oh, per questo duemila!"

"Sterline?"

"Ghinee. Pittori, poeti e dottori si pagano in ghinee."

"Be', allora credo che dovresti dargli una percentuale," esclamò Hughie, ridendo. "Quest'uomo sgobba quanto te."

"Sciocchezze, sciocchezze! Pensa com'è faticoso anche solo stendere il colore e stare in piedi tutto il giorno davanti al cavalletto! Tu fai presto a parlare, Hughie, ma ti assicuro che ci sono momenti in cui l'Arte raggiunge quasi la dignità di un lavoro manuale. Ma adesso basta con le chiacchiere; ho molto da fare. Fumati una sigaretta e sta' zitto."

Dopo un po' entrò un domestico e gli disse che il corniciaio voleva parlargli.

"Non scappare, Hughie," disse Trevor uscendo. "Torno tra un attimo."

Il vecchio mendicante approfittò dell'assenza di Trevor per riposarsi su una panca di legno che c'era alle sue spalle. Sembrava così triste e miserabile che Hughie non poté non provare compassione e si frugò nelle tasche in cerca di soldi. Trovò soltanto una sovrana e qualche spicciolo. "Povero vecchio," pensò, "ne ha più bisogno di me, anche se per questo dovrò rinunciare alla carrozza per due settimane." Attraversò lo studio e mise la sovrana nella mano del mendicante.

Il vecchio sobbalzò e un debole sorriso gli si dipinse sulle labbra rugose. "Grazie, signore," disse. "Grazie."

Al ritorno di Trevor, Hughie si congedò, arrossendo leggermente per ciò che aveva fatto. Trascorse la giornata con Laura, che lo rimproverò affettuosamente per quel gesto stravagante, e se ne tornò a casa a piedi.

Quella sera fece un giro al Club della Tavolozza verso le undici e vi trovò Trevor seduto da solo nella sala da fumo che beveva vino bianco del Reno e soda.

"Allora, Alan, sei riuscito a finire il quadro?" gli chiese, accendendosi una sigaretta.

"Finito e incorniciato, ragazzo mio!" rispose Trevor, "ma senti: hai fatto conquiste. Sei piaciuto un sacco a quel vecchio modello. Ho dovuto dirgli tutto di te: chi sei, dove vivi, quanto guadagni, che prospettive hai..."

"Ma Alan," esclamò Hughie, "adesso me lo ritroverò sulla soglia di casa! Immagino che tu stia scherzando. Quel poveraccio! Vorrei poter fare qualcosa per lui. È terribile che una persona debba ridursi così. A casa ho un sacco di vestiti vecchi, credi che possano interessargli? Diamine, i suoi stracci cadevano a pezzi."

"Eppure gli stanno benissimo," disse Trevor. "Non lo dipingerei mai con un cappotto elegante. Per te sono stracci, ma per me sono abiti romantici. Quella che a te sembra povertà, per me è pittoresco. Comunque, gli dirò della tua offerta."

"Alan," disse Hughie con gran serietà, "voi pittori non avete cuore."

"Il cuore di un artista è nella sua testa," rispose Trevor, "e poi il nostro compito è di rappresentare il mondo così come lo vediamo, non di conoscerlo per cambiarlo. À chacun son métier. E adesso dimmi come sta Laura. Il vecchio modello era piuttosto curioso di lei."

"Non mi starai dicendo che gli hai parlato di Laura?"

"Certo che sì. Sa tutto dell'inflessibile colonnello, dell'incantevole Laura e delle diecimila sterline."

"Hai raccontato i fatti miei a quel vecchio mendicante?" gridò Hughie, rosso di rabbia.

"Mio caro ragazzo," disse Trevor sorridendo "quel vecchio mendicante, come lo chiami, è uno degli uomini più ricchi d'Europa. Potrebbe comprarsi tutta Londra domani stesso senza nemmeno andare in rosso. Possiede case in ogni capitale, pranza su piatti d'oro e se vuole può impedire alla Russia di entrare in guerra."

"Cosa diavolo vorresti dire?" esclamò Hughie.

"Voglio dire," continuò Trevor, "che il vecchio che hai visto oggi nello studio era il barone Hausberg. È un mio caro amico, compra spesso i miei quadri e via dicendo, e un mese fa mi ha chiesto di ritrarlo travestito da mendicante. *Que voulez-vous? La fantaisie d'un millionnaire!* E devo dire che stava davvero bene nei suoi stracci, o forse dovrei dire nei miei stracci: era un vecchio vestito che avevo comprato in Spagna."

"Il barone Hausberg!" gridò Hughie. "Santo cielo! Gli ho dato una sovrana!" e si lasciò cadere su una poltrona, sbigottito.

"Gli hai dato una sovrana!" gridò Trevor, scoppiando in una risata fragorosa. "Mio caro ragazzo, non la rivedrai mai più. *Son affaire c'est l'argent des autres.*"

"Potevi dirmelo, Alan," disse Hughie accigliato, "così evitavo di fare quella figura da idiota."

"Be', tanto per cominciare, Hughie," disse Trevor, "non sapevo che facessi l'elemosina con tanta facilità. Potrei capire se avessi baciato una bella modella, ma dare una sovrana a un modello, e pure brutto... no, per Giove! E poi, sai, oggi non ero in casa per nessuno e quando sei entrato non sapevo se Hausberg voleva che facessi il suo nome. Avrai visto anche tu che non era in abito da cerimonia."

"Penserà che sono un idiota!" disse Hughie.

"Niente affatto. Era felice come una pasqua quando te ne sei andato. Continuava a ridacchiare tra sé e a sfregarsi quelle sue vecchie mani rugose. Non riuscivo a capire perché fosse così interessato a te, ma adesso è chiaro. Investirà la sovrana a nome tuo, Hughie, ti pagherà gli interessi ogni sei mesi e avrà una bella storiella da raccontare dopo cena."

"Sono un povero disgraziato," grugnì Hughie. "La cosa migliore che posso fare è andarmene a letto. E, mio caro Alan, promettimi che non lo dirai a nessuno. Non avrei più il coraggio di farmi vedere in giro per il Row."

"Sciocchezze! Mette in luce il tuo spirito filantropico, Hughie. E non scappare. Adesso fumati un'altra sigaretta e parlami di Laura quanto vuoi."

Ma Hughie non si fermò. Se ne tornò verso casa, abbattuto, lasciando Alan Trevor a sbellicarsi dalle risate.

La mattina dopo, a colazione, il domestico gli portò un biglietto su cui c'era scritto: "Monsieur Gustave Naudin, *de la part de* M. le Baron Hausberg". "Sarà venuto a esigere le mie scuse," disse Hughie tra sé e ordinò al domestico di far entrare l'ospite.

Un vecchio gentiluomo con un paio di occhiali dalla montatura d'oro e i capelli grigi entrò nella sala e disse con un leggero accento francese: "Ho l'onore di parlare con Monsieur Erskine?".

Hughie s'inchinò.

"Mi manda il barone Hausberg," continuò. "Il barone..."

"La prego, signore, di porgergli le mie più sincere scuse," balbettò Hughie.

"Il barone," continuò il vecchio gentiluomo con un sorriso, "mi ha incaricato di portarle questa lettera," e gli porse una busta sigillata.

Sulla parte esterna c'era scritto: "Un regalo di nozze per Hugh Erskine e Laura Merton, da parte di un vecchio mendicante," e all'interno c'era un assegno di diecimila sterline.

Il giorno del matrimonio, Alan Trevor fece da testimone e il Barone tenne un discorso durante il rinfresco.

"I modelli milionari," osservò Alan, "sono piuttosto rari. Ma, per Giove, i milionari modello lo sono ancora di più!"

IL RITRATTO DI MR W.H.*

* Wilde scrisse due versioni di questo racconto: una prima e originale nel 1889 (che è quella tradotta qui) e una seconda, più lunga, il cui manoscritto andò perduto e che dopo varie peripezie fu pubblicata solo nel 1921.

I

Avevo pranzato con Erskine nella sua bella casetta di Birdcage Walk ed eravamo seduti in biblioteca a gustarci caffè e sigarette, quando la nostra conversazione cadde sul tema dei falsi letterari. Non ricordo come incappammo nell'argomento, alquanto curioso per quei tempi, ma so che discutemmo a lungo di Macpherson, Ireland e Chatterton e che a proposito di quest'ultimo affermai che i suoi cosiddetti falsi non erano altro che il risultato di un'aspirazione artistica alla perfezione; che non avevamo il diritto di rimproverare a un artista il modo in cui sceglie di presentare la propria opera, e che essendo l'Arte, in un certo senso, una forma di rappresentazione, un tentativo di esprimere la propria personalità sul piano dell'immaginazione senza gli impedimenti e le limitazioni della vita reale, criticare un artista per un falso significava confondere un problema etico con un problema estetico.

Erskine, che era molto più grande di me e mi aveva ascoltato con il divertito riguardo di un uomo di quarant'anni, tutt'a un tratto mi mise una mano sulla spalla e disse: "Cosa diresti di un giovane che, essendosi fatto una strana teoria riguardo a un'opera d'arte, ricorresse a un falso per dimostrarla?".

"Ah! Questa è un'altra storia," risposi.

Erskine rimase zitto per qualche istante e guardò le sottili volute di fumo grigio che si alzavano dalla sua sigaretta. "Già," disse dopo una pausa, "un'altra storia."

Nel suo tono di voce c'era qualcosa, forse una leg-

gera punta di amarezza, che mi incuriosì. "Hai conosciuto qualcuno che l'ha fatto?" esclamai.

"Sì," rispose, gettando la sigaretta nel fuoco. "Un
mio caro amico, Cyril Graham. Un uomo molto affascinante, molto sciocco e molto crudele. Però mi ha lasciato l'unica eredità che io abbia mai ricevuto in vita
mia."

"Di che si tratta?" esclamai. Erskine si alzò e, avvi-
cinandosi a un alto armadietto intarsiato che c'era tra
le due finestre, l'aprì e tornò da me con un piccolo quadro su tavola, con una vecchia e alquanto annerita cornice elisabettiana.

Era il ritratto di un giovane in abiti di fine Cin-
quecento, in piedi accanto a un tavolo e con la mano
destra posata su un libro aperto. Doveva avere sui diciassette anni ed era di una bellezza straordinaria, anche se evidentemente piuttosto effeminato. Anzi, se
non fosse stato per il vestito e i capelli cortissimi, quel
volto dai malinconici occhi sognanti e dalle delicate
labbra scarlatte si sarebbe potuto scambiare per quello di una ragazza. Lo stile, soprattutto per il tratteg-
gio delle mani, ricordava le ultime opere di François
Clouet. Il farsetto di velluto nero magnificamente tra-
punto d'oro e lo sfondo blu pavone contro il quale ri-
saltava così gradevolmente e da cui riceveva tanta lu-
minosità cromatica erano proprio nello stile di Clouet.
Le due maschere della Tragedia e della Commedia, appese in maniera alquanto formale dal piedistallo di
marmo, avevano quel gusto duro e severo – così diverso dalla fluida grazia degli italiani – che il grande
maestro fiammingo non perse mai del tutto nemmeno alla corte di Francia e che è da sempre una carat-
teristica del temperamento nordico.

"Che oggetto incantevole," esclamai, "ma chi è questo splendido giovane di cui l'Arte ci ha felicemente
preservato la bellezza?"

"È il ritratto di Mr W.H.," disse Erskine con un sorriso triste. Forse fu un accidentale gioco di luce, ma
mi sembrò che i suoi occhi luccicassero di lacrime.

"Mr W.H.!" esclamai. "Chi era costui?"

"Non ricordi?" rispose lui. "Guarda il libro su cui posa la mano."

"Vedo che c'è scritto qualcosa, ma non riesco a leggere."

"Prova con questa lente d'ingrandimento," disse Erskine, con lo stesso sorriso triste.

Presi la lente e, avvicinando leggermente la lampada, cominciai a decifrare la contorta calligrafia cinquecentesca. "All'unico ispiratore dei seguenti Sonetti... Santo cielo!" gridai. "Ma è il Mr W.H. di Shakespeare?"

"Così diceva Cyril Graham," borbottò Erskine.

"Ma non somiglia nemmeno un po' a Lord Pembroke," dissi. "Conosco benissimo i ritratti di Penhurst. Ero da quelle parti giusto poche settimane fa."

"Credi davvero che i Sonetti siano dedicati a Lord Pembroke?" mi chiese.

"Sicuro. Pembroke, Shakespeare e Mary Fitton sono i tre personaggi dei Sonetti. Su questo non ci piove."

"Be', sono d'accordo," disse Erskine, "anche se prima la pensavo diversamente. Credevo... be', forse credevo a Cyril Graham e alla sua teoria."

"Quale teoria?" chiesi, guardando il meraviglioso ritratto che già cominciava a esercitare uno strano fascino su di me.

"È una lunga storia," disse Erskine, portandomi via il quadro con un gesto che mi parve quasi brusco. "Una storia molto lunga. Ma se ci tieni, te la racconterò."

"Adoro le teorie sui Sonetti," esclamai, "ma non credo che mi lascerei convertire a nuove idee. La questione non è più un mistero per nessuno. Anzi, mi sorprende che lo sia mai stata."

"Poiché non credo a questa teoria, dubito che riuscirò a convertirti," rise Erskine. "Ma potresti trovarla interessante."

"Avanti, racconta," risposi. "Se possiede anche solo metà del fascino del ritratto, sarò più che soddisfatto."

"Bene," disse Erskine accendendosi una sigaretta,

"innanzitutto devo parlarti di Cyril Graham. Vivevamo insieme a Eton. Avevo un anno o due più di lui, ma eravamo legati da una profonda amicizia ed eravamo sempre insieme, sia nello studio sia nel divertimento. Ovviamente c'era più divertimento che studio, ma non me ne rammarico. È sempre un vantaggio non aver ricevuto una solida educazione commerciale e ciò che ho appreso sui campi da gioco di Eton mi è stato utile tanto quanto quel che ho imparato a Cambridge. Non ti ho detto che il padre e la madre di Cyril erano morti annegati in un orribile incidente al largo dell'isola di Wight. Suo padre era nel servizio diplomatico e aveva sposato una figlia, di fatto l'unica figlia, del vecchio Lord Crediton, che divenne il tutore di Cyril dopo la morte dei genitori. Non credo che Lord Crediton si curasse molto di Cyril. Non aveva mai perdonato del tutto alla figlia di aver sposato un uomo senza titolo. Era un vecchio aristocratico curioso: bestemmiava come un venditore ambulante e aveva modi da contadino. Ricordo che una volta lo vidi alla cerimonia di chiusura dell'anno scolastico. Grugnì, mi diede una sovrana e mi disse di non diventare un 'maledetto radicale' come mio padre. Cyril non gli era affezionato ed era felice di passare buona parte delle vacanze in Scozia insieme a noi. In effetti non andarono mai granché d'accordo. Per Cyril quell'uomo era un orso e per Lord Crediton Cyril era un effeminato. Credo che fosse effeminato in alcune cose, ma era anche un ottimo cavallerizzo e un valido schermidore. Ancor prima di lasciare Eton aveva fama di fiorettista. Ma aveva modi molto languidi, non poca opinione della sua bellezza e una profonda avversione per il gioco del calcio. Le cose che gli davano più piacere erano la poesia e il teatro. A Eton non perdeva occasione per mascherarsi e recitare Shakespeare e, quando entrammo al Trinity, si unì al gruppo teatrale universitario fin dal primo trimestre. Ricordo che ero sempre molto geloso delle sue recite. Gli ero attaccatissimo, forse perché eravamo così diversi in tante cose.

Io ero un ragazzo gracile e goffo, dai piedi enormi e pieno di lentiggini. Le lentiggini infestano la famiglie scozzesi come la gotta quelle inglesi. Cyril diceva che tra i due mali avrebbe scelto la gotta, ma questo perché dava sempre un'importanza assurda all'apparenza fisica, e una volta tenne un discorso al nostro circolo per dimostrare come sia meglio essere belli che buoni. Lui, senza dubbio, era bellissimo. La gente a cui non piaceva, filistei, tutor e studentelli di teologia, diceva che era sì e no carino; ma nel suo volto c'era qualcosa che superava la semplice grazia. Credo di non aver mai visto una creatura più splendida; nulla poteva eguagliare la grazia dei suoi movimenti e il fascino dei suoi modi. Incantava chiunque valesse la pena incantare, e anche molti che non la valevano. Spesso era cocciuto e irritabile, e lo reputavo terribilmente insincero. Credo fosse dovuto al suo smodato bisogno di piacere. Povero Cyril! Una volta gli dissi che si accontentava di successi ben modesti, ma lui si limitò a ridere. Era tremendamente viziato, ma immagino che tutte le persone seducenti lo siano. È il segreto del loro fascino.

"Ma parliamo della recitazione di Cyril. Come sai, alle donne non è permesso recitare nel gruppo teatrale universitario. O almeno non lo era ai miei tempi. Non so come sia adesso. Ebbene, ovviamente a Cyril venivano sempre affidati ruoli femminili e quando misero in scena *A piacer vostro* interpretò Rosalinda. Fu magnifico. Non ho mai visto una Rosalinda perfetta come quella di Cyril Graham. Sarebbe impossibile descriverti tanta bellezza, tanta delicatezza, tanta raffinatezza. Fu un gran successo e quell'orribile teatrino, di fatto, si riempiva ogni sera. Anche adesso, se rileggo la commedia, non posso fare a meno di pensare a Cyril. Sembrava fosse stata scritta per lui. Il trimestre successivo si laureò e venne a Londra per prepararsi alla carriera diplomatica. Ma non studiava mai. Passava le giornate a leggere i Sonetti di Shakespeare e le sere a teatro. Ovviamente moriva dalla voglia di calcare le scene, ma Lord Crediton e io riuscimmo a fatica a impedirglielo. Forse, se si fosse dato al teatro, sarebbe ancora vivo. È sempre sciocco dare consigli, ma darne di buoni è assolutamente fatale. Spero che tu non commetta mai questo errore, o te ne pentirai.

"Ebbene, per venire al dunque, un giorno ricevetti una lettera da Cyril che mi chiedeva di recarmi da lui quella sera stessa. Aveva un incantevole appartamento a Piccadilly, affacciato su Green Park, e poiché avevo l'abitudine di andare da lui ogni giorno mi stupì che si fosse preso la briga di scrivermi. Naturalmente ci andai e al mio arrivo lo trovai completamente su di giri. Mi disse che aveva finalmente scoperto il vero segreto dei Sonetti di Shakespeare; che critici e studiosi si erano sbagliati di grosso e che lui era il primo che, basandosi unicamente su elementi interni al testo, aveva scoperto la vera identità di Mr W.H. Era pazzo di gioia e aspettò a lungo prima di espormi la sua teoria. Alla fine tirò fuori un fascio di appunti, prese la sua copia dei Sonetti dalla mensola del caminetto, si sedette e mi tenne un lungo discorso sull'argomento.

"Cominciò col farmi notare che il giovane a cui Shakespeare rivolgeva quelle poesie appassionate doveva aver avuto un ruolo veramente vitale nello sviluppo della sua arte drammatica, cosa che non poteva dirsi né di Lord Pembroke né di Lord Southampton. Di fatto, chiunque fosse, non doveva avere origini nobili, come traspariva chiaramente dal Sonetto XXV, in cui Shakespeare critica i 'favoriti dei grandi principi' e dice apertamente:

> Lascia che quanti hanno il favore delle stelle
> Si vantino del pubblico favore e di titoli superbi,
> Mentre io, cui la fortuna nega simili trionfi,
> Gioisco in disparte di colui che più onoro.

"E conclude felicitandosi per la modesta condizione dell'adorato

Felice allora io, che amo e sono riamato
Il che né da me né da altri può esser mutato.

"Secondo Cyril questo sonetto era incomprensibile se lo si pensava diretto al conte di Pembroke o a quello di Southampton, uomini entrambi di altissimo rango in Inghilterra e degni di essere chiamati 'grandi principi'. E a conferma di ciò mi lesse i sonetti CXXIV e CXXV, nei quali Shakespeare ci dice che il suo amore non è 'figlio d'alto rango', che 'non soffre del gaio sfarzo', ma 'cresce lontano da pericoli'. Ascoltai con grande interesse, perché nessuno, credo, ci aveva mai pensato prima. Ma ciò che seguì fu ancora più curioso e mi sembrò invalidare completamente l'ipotesi di Pembroke. Sappiamo da Meres che i Sonetti furono scritti prima del 1598, e il Sonetto CIV ci informa che l'amicizia tra Shakespeare e Mr W.H. durava già da tre anni. Ora Lord Pembroke, che era nato nel 1580, non venne a Londra prima dei diciotto anni, ossia non prima del 1598, mentre Shakespeare doveva aver conosciuto Mr W.H. nel 1594 o al più tardi nel 1595. Di conseguenza Shakespeare non poteva aver conosciuto Lord Pembroke che dopo la stesura dei Sonetti.

"Cyril sottolineò anche che il padre di Pembroke era morto nel 1601, mentre era evidente dal verso:

Avesti un padre, così possa dire tuo figlio,

che nel 1598 il padre di Mr W.H. era già morto. Inoltre era assurdo pensare che un editore del tempo, e la prefazione era scritta dall'editore, osasse rivolgersi a William Herbert, conte di Pembroke, come Mr W.H. Il caso di Lord Buckhurst, al quale ci si riferiva come Mr Sackville, non fa testo, perché Lord Buckhurst non era nobile, bensì solo il figlio minore di un nobile, con un titolo di cortesia, e il brano nell'*England's Parnassus* in cui viene chiamato così non è una dedica formale e solenne ma solo un'allusione casuale. Questo per l'ipotesi Lord Pembroke, che Cyril non ebbe alcuna difficoltà a confutare mentre lo ascoltavo ammirato. Con Lord Southampton fu ancora più facile. Southampton divenne fin da giovanissimo l'amante di Elizabeth Vernon e non aveva quindi alcun bisogno di incoraggiamenti al matrimonio; non era bello e non somigliava alla madre, come invece Mr W.H.:

> Tu sei lo specchio di tua madre, ed ella in te
> Rivive l'incantevole aprile della sua giovinezza;

"Soprattutto, il suo nome di battesimo era Henry, mentre dai giochi di parole dei sonetti CXXXV e CXLIII risulta che il nome dell'amico di Shakespeare era lo stesso del poeta, e cioè 'Will'.

"Per quanto riguarda le altre ipotesi meno felici – che, cioè, Mr W.H. fosse un refuso per Mr W.S., cioè Mr William Shakespeare; che 'Mr W.H. all' dovesse leggersi 'Mr W.Hall'; che Mr W.H. fosse Mr William Hathaway; e che dopo 'wisheth' dovesse esserci un punto, rendendo Mr W.H. l'autore e non il destinatario della dedica – Cyril se ne sbarazzò in men che non si dica, e non vale nemmeno la pena elencarne le ragioni, sebbene ricordo che mi fece sbellicare dalle risate quando mi lesse dei passi, fortunatamente non nell'originale, di un commentatore tedesco di nome Barnstorff, convinto che Mr W.H. altri non fosse che *Mr William Himself*. Né prendeva in considerazione l'ipotesi che i Sonetti fossero una satira dell'opera di Drayton o di John Davies di Hereford. Per lui, e sicuramente anche per me, erano poesie dal tenore serio e tragico, scaturite dall'amarezza del cuore di Shakespeare e addolcite dal miele delle sue labbra. Tanto meno si poteva considerarle una mera allegoria filosofica con cui Shakespeare alludeva a un Io ideale piuttosto che all'Uomo ideale, allo Spirito della Bellezza, alla Ragione, al Logos Divino o alla Chiesa cattolica. Cyril era convinto, come penso tutti, che i Sonetti si rivolgessero a un individuo, a un particolare giovane la cui personalità per qualche motivo riempiva l'anima di

Shakespeare di una gioia terribile e di una non meno terribile disperazione.

"Sgombrato così il campo, Cyril mi chiese di liberarmi da ogni preconcetto sull'argomento e di ascoltare con obiettività e imparzialità la sua teoria. Il problema secondo lui era questo: Chi era quel giovane contemporaneo di Shakespeare che, senza avere né nobili natali né un animo nobile, era oggetto di un'adorazione così appassionata che non possiamo non stupirci di tanto attaccamento, e quasi temere di girare la chiave che dischiuderebbe il mistero del cuore del poeta? Chi era colui la cui bellezza fisica diventò la pietra angolare dell'arte di Shakespeare, la fonte della sua ispirazione, l'incarnazione stessa dei suoi sogni? Vederlo semplicemente come l'oggetto di alcune poesie d'amore significa non cogliere il vero significato di tali poesie, perché l'arte di cui parla Shakespeare nei Sonetti non è l'arte dei Sonetti stessi, che in realtà per lui erano cose leggere e private, ma l'arte del drammaturgo, a cui allude sempre. E colui al quale dice:

Tu sei tutta la mia arte, e trasformi
La mia ignoranza in profondo sapere,

colui al quale promette immortalità,

Dove più il respiro spira, perfino sulla bocca degli uomini,

chi altri era se non il giovane attore per il quale creò Viola e Imogene, Giulietta e Rosalinda, Porzia e Desdemona, e la stessa Cleopatra? Questa era la teoria di Cyril Graham, dedotta interamente, come vedi, dagli stessi Sonetti, e derivante non tanto da prove dimostrabili o formali, ma da una sorta di intuizione spirituale e artistica, l'unica che, secondo lui, ci permette di cogliere il vero significato delle poesie. Ricordo che mi lesse quel bel sonetto:

Come può mancare un soggetto alla mia musa,
Fin che tu respiri e ai miei versi infondi

Il tuo dolce tema, troppo eletto
Per essere celebrato da pagine volgari?
Ringrazia pur te stesso se mai scoprirai
In me qualcosa degno della tua attenzione;
Perché chi può esser tanto ottuso da non scrivere di te
Quando tu stesso dai luce all'inventiva?
Sii tu la decima Musa, dieci volte più degna
Delle antiche nove che i poeti invocano;
E chi si rivolge a te, possa egli dar vita
A rime eterne e imperiture

e mi fece notare come confermasse in pieno la sua teoria. Non solo, esaminò tutti i sonetti con attenzione e dimostrò, o credette di dimostrare, che cose considerate prima oscure, equivoche o esagerate, ora grazie alla sua teoria diventavano chiare, logiche e di elevato valore artistico, illustrando l'idea che Shakespeare aveva del rapporto tra l'arte dell'attore e l'arte del drammaturgo.

"Era chiaro che nella sua compagnia doveva esserci stato un bellissimo giovane attore al quale affidava la parte delle sue nobili eroine, giacché Shakespeare era un impresario avveduto oltre che un poeta immaginifico, e Cyril Graham aveva addirittura scoperto il nome di tale fanciullo. Era Will, o Willie Hughes, come preferiva chiamarlo. Tale nome, ovviamente, era rintracciabile nei giochi di parole dei sonetti CXXXV e CXLIII, mentre il cognome, secondo lui, era nascosto nel settimo verso del ventesimo sonetto, dove Mr W.H. viene descritto come

Bello, che ogni bellezza ha in suo potere
("A man in hew, all *Hews* in his controwling")

"Nell'edizione originale dei Sonetti, 'Hews' era scritto in corsivo e con l'iniziale maiuscola, cosa che, secondo lui, indicava chiaramente la presenza di un gioco di parole. Tale opinione era confermata anche da altri sonetti nei quali c'erano curiosi giochi con i termini *use* e *usury*.

"La cosa mi convinse in pieno e Willie Hughes mi apparve allora come una persona non meno reale di Shakespeare. L'unica obiezione che mossi era che il nome di Willie Hughes non compariva nella lista degli attori della compagnia di Shakespeare stampato sulla prima pagina delle opere. Ma Cyril mi fece notare che l'assenza del nome di Willie Hughes dalla lista in realtà corroborava la teoria, evidente nel sonetto LXXXVI, secondo cui Willie Hughes aveva lasciato la compagnia di Shakespeare per recitare in un teatro rivale, probabilmente in qualche commedia di Chapman. A ciò alludeva Shakespeare quando, nel grande sonetto su Chapman, diceva a Willie Hughes:

> Ma quando il tuo contegno riempì il suo verso
> A me mancò l'ispirazione, e s'infiacchì il mio.

"L'espressione 'quando il tuo contegno riempì il suo verso' si riferiva chiaramente alla bellezza del giovane attore, che donava vita, realtà e fascino al verso di Chapman. La stessa idea è espressa anche nel sonetto LXXIX:

> Finché io solo invocavo il tuo aiuto,
> Solo il mio verso aveva ogni tua gentile grazia;
> Ma ora le mie rime graziose son decadute,
> E la mia Musa malata cede il posto a un altro;

e nel sonetto immediatamente precedente:

> Ogni penna estranea ha preso il mio *uso (use)*
> E al tuo servizio diffonde le sue rime,

dove è ovvio il gioco di parole tra *use* e *Hughes*, e la frase 'al tuo servizio diffonde le sue rime' significa 'grazie al tuo contributo come attore, presenta le proprie opere al pubblico'.

"Fu una serata meravigliosa e restammo svegli fin quasi all'alba a leggere e rileggere i Sonetti. Dopo un po', però, mi resi conto che per presentare la teoria al mondo in maniera credibile era necessario trovare qualche prova indipendente dell'esistenza di questo giovane attore, Willie Hughes. Una volta trovata, non potevano esserci dubbi sul fatto che fosse Mr W.H. mentre, in caso contrario, la teoria non avrebbe retto. Lo feci presente con molta fermezza a Cyril, che rimase alquanto seccato da quella che chiamò la mia mentalità 'filistea' e reagì con una certa asprezza. Riuscii però a fargli promettere che, nel proprio interesse, non avrebbe reso pubblica la scoperta finché non avesse fugato ogni dubbio, e così passammo settimane intere a setacciare i registri delle parrocchie, i manoscritti di Alleyn di Dulwich, l'Archivio di Stato, i rapporti del Lord Ciambellano e tutto ciò che, secondo noi, poteva contenere un qualche riferimento a Willie Hughes. Non trovammo niente, ovviamente, e ogni giorno mi sembrava che l'esistenza di Willie Hughes si facesse sempre più problematica. Cyril era in uno stato terribile e tornava ogni giorno sull'intera questione, implorandomi di credere, ma vedevo chiaramente il punto debole della teoria e mi rifiutai di cedere finché l'esistenza di Willie Hughes, giovane attore della scena elisabettiana, non fosse stata messa al riparo da ogni dubbio o cavillo.

"Un giorno Cyril lasciò la città per andare, come credevo, dal nonno. In seguito venni a sapere da Lord Crediton che non era così, e un paio di settimane dopo ricevetti un telegramma da Warwick con cui Cyril mi pregava di andare a cena da lui quella sera stessa alle otto. Quando arrivai, mi disse: 'L'unico apostolo che non si meritava prove, san Tommaso, fu l'unico ad averne'. Gli chiesi cosa intendeva dire. Mi rispose che non solo era riuscito a dimostrare l'esistenza nel sedicesimo secolo di un giovane attore di nome Willie Hughes, ma anche a provare in maniera definitiva che si trattava del Mr W.H. dei Sonetti. Al momento non volle dirmi altro, ma dopo cena mi mostrò solennemente il quadro che ti ho fatto vedere, dicendo che l'aveva trovato per puro caso inchiodato sul fianco di una vecchia cassapanca che aveva acquistato in una fattoria del Warwickshire. Naturalmente si era portato via anche la cassapanca, un bellissimo esemplare di stile elisabettiano che al centro del pannello anteriore riportava incise chiaramente le iniziali 'W.H.'. Era stato quel monogramma ad attirare la sua attenzione e mi disse che solo diversi giorni dopo l'acquisto pensò di esaminare attentamente l'interno. Una mattina vide che uno dei lati della cassapanca era molto più spesso dell'altro e, guardando meglio, scoprì che vi era stato incastrato un pannello incorniciato. Togliendolo, vi trovò il dipinto che ora è appoggiato sul divano. Era molto sporco e ammuffito, ma riuscì a pulirlo e, con grande gioia, capì di aver trovato per puro caso proprio quello che stava cercando: un ritratto autentico di Mr W.H., con la mano appoggiata sulla pagina della dedica dei Sonetti. Sulla cornice s'intravedeva a fatica il nome del giovane, scritto in caratteri onciali su uno sfondo d'oro sbiadito: 'Master Will Hews'.

"Ebbene, cosa potevo dire? Non pensai nemmeno per un istante che Cyril Graham mi stesse imbrogliando o che stesse cercando di dimostrare la sua teoria con un falso."

"Quindi è un falso?" chiesi.

"Certamente," rispose Erskine. "Un ottimo falso, ma pur sempre un falso. Lì per lì, Cyril mi sembrò molto calmo in merito alla scoperta, ma ricordo che mi disse più di una volta che non gli occorrevano prove del genere e che la sua teoria poteva benissimo farne a meno. Gli risi in faccia, dicendogli che senza quella prova la teoria non avrebbe retto, e mi congratulai vivamente per la meravigliosa scoperta. Decidemmo poi che una riproduzione all'acquaforte o una copia esatta del quadro doveva comparire sul frontespizio dell'edizione dei Sonetti che Cyril stava preparando. Per tre mesi non facemmo altro che analizzare ogni poesia verso per verso, fino ad appianare ogni difficoltà di testo o di significato. Poi, sfortuna volle che un giorno mi trovassi in un negozio di stampe di Holborn, quando vidi sul bancone alcuni bellissimi disegni a punta d'argento. Mi piacquero così tanto che li acquistai e il proprietario del negozio, un certo Rawlings, mi disse che erano stati fatti da un giovane pittore, Edward Merton, bravissimo ma povero in canna. Mi feci dare il suo indirizzo e alcuni giorni dopo andai da lui. Trovai un giovane pallido e interessante, con una moglie piuttosto ordinaria che, come seppi in seguito, gli faceva da modella. Gli dissi quanto apprezzavo i suoi disegni, cosa che gli fece molto piacere, e gli chiesi di mostrarmi altri lavori. Mentre stavamo guardando una cartella piena di cose davvero molto buone – Merton aveva un tocco assolutamente delicato e delizioso – all'improvviso vidi uno schizzo del dipinto di Mr W.H. Non c'era alcun dubbio. Era quasi una copia esatta; l'unica differenza stava nel fatto che le maschere della Tragedia e della Commedia non erano appese al supporto di marmo come nel quadro, ma giacevano per terra, ai piedi del giovane. 'Dove diamine l'ha trovato questo?' gli chiesi. Lui rispose, confuso: 'Oh, non è niente. Non sapevo che fosse in questa cartella. È una cosa che non vale niente'. 'È il quadro che hai fatto per Mr Cyril Graham,' esclamò la moglie. 'Se il signore vuole comprarlo, daglielo pure.' 'Per Mr Cyril Graham?' ripetei. 'È stato lei a dipingere il quadro di Mr W.H.?' 'Non capisco a cosa si riferisce,' rispose lui arrossendo. Be', fu davvero una scena sgradevole. La moglie raccontò tutto. Le diedi cinque sterline prima di andarmene. Ora non ci posso pensare, ma ero davvero furioso. Andai subito da Cyril, aspettai tre ore che rientrasse, con quell'orribile menzogna stampata sul volto, e gli dissi che avevo scoperto il suo falso. Lui impallidì. 'L'ho fatto solo per te,' disse. 'Non c'era verso di convincerti, altrimenti. Non intacca la bontà della teoria.' 'La bontà della teoria!' esclamai. 'Meno ne parliamo e meglio è. Non ci hai mai creduto nemmeno tu, o non saresti ricorso a un falso per dimostrarla.' Volarono parole grosse e litigammo violentemente. Forse esagerai, lo ammetto. La mattina dopo era morto."

"Morto!" gridai.

"Sì, si sparò un colpo di rivoltella. Del sangue chiazzò la cornice del dipinto proprio nel punto dov'era stato scritto il nome. Quando arrivai – il suo domestico mi chiamò immediatamente –, la polizia era già là. Cyril aveva lasciato una lettera per me, scritta in uno stato di evidente angoscia e confusione mentale."

"Cosa c'era scritto?"

"Oh, che credeva ciecamente in Willie Hughes, che la falsificazione del quadro era stata fatta solo come concessione a me e che non smentiva in alcun modo la verità della teoria. E che, per dimostrarmi quant'era salda e impeccabile la sua convinzione, avrebbe sacrificato la vita al segreto dei Sonetti. Era una lettera folle e assurda. Ricordo che concludeva affidandomi la teoria su Willie Hughes e l'incarico di presentarla al mondo, rivelando così il segreto del cuore di Shakespeare."

"Che storia tragica," esclamai. "Ma perché non hai esaudito i suoi desideri?"

Erskine si strinse nelle spalle. "Perché è una teoria infondata, dall'inizio alla fine."

"Mio caro," dissi, alzandomi. "Ti sbagli di grosso. È l'unica interpretazione credibile dei Sonetti di Shakespeare che sia mai stata fatta. Completa in ogni particolare. Io credo in Willie Hughes."

"Non dirlo," disse Erskine con tono grave. "Credo che quest'idea si porti dietro qualcosa di funesto, e dal punto di vista intellettuale non regge. L'ho studiata a fondo e ti assicuro che è una teoria assolutamente fallace. È plausibile fino a un certo punto, poi basta. Per l'amor del cielo, ragazzo mio, lascia perdere Willie Hughes. Ti ci romperai la testa."

"Erskine," risposi, "hai il dovere di rendere nota al mondo questa teoria. Se non lo farai, ci penserò io. Tenerla nascosta significa offendere la memoria di Cyril Graham, il più giovane e sublime fra tutti i martiri della letteratura. Ti supplico di rendergli giustizia. È morto per questo. Fa' che non sia morto invano."

Erskine mi guardò sorpreso. "Ti stai facendo trasportare dall'aspetto sentimentale della vicenda," disse. "Dimentichi che una cosa non è necessariamente vera perché un uomo è morto per essa. Ero molto affezionato a Cyril Graham. La sua morte è stata un colpo terribile, da cui non mi sono ripreso per anni. Anzi, forse non mi sono mai ripreso del tutto. Ma Willie Hughes? L'idea non regge. Non è mai esistita questa persona. Quanto a rivelare l'intera storia, il mondo crede che Cyril Graham si sia sparato accidentalmente. L'unica prova del suicidio è contenuta nella lettera indirizzata a me, e di questa nessuno ha mai saputo niente. Ancora oggi Lord Crediton è convinto che si sia trattato di un incidente."

"Cyril Graham ha sacrificato la vita per una grande idea," risposi, "e se non vuoi parlare del suo martirio, parla almeno della sua fede."

"La sua fede si basava su una cosa falsa, su una cosa inconsistente, a cui nessuno studioso di Shakespeare darebbe alcun credito. Riderebbero di questa teoria. Non renderti ridicolo seguendo una pista che non porta da nessuna parte. Tu dai per scontato in partenza proprio ciò che bisogna provare: l'esistenza di Willie Hughes. E poi tutti sanno che i Sonetti erano dedicati a Lord Pembroke. La questione è risolta da tempo."

"Non è affatto risolta!" esclamai. "Riprenderò la teoria là dove l'ha lasciata Cyril Graham e dimostrerò al mondo che aveva ragione."

"Che sciocco!" disse Erskine. "Va' a casa, sono le due passate, e non pensare più a Willie Hughes. Mi rincresce di avertene parlato e peggio ancora di averti convinto di una cosa alla quale io stesso non credo."

"Mi hai dato la chiave del più grande mistero della letteratura moderna," risposi, "e non mi darò pace finché non avrò convinto te e il mondo intero che Cyril Graham era il più sottile critico di Shakespeare della nostra epoca."

Mentre attraversavo St James's Park, diretto a casa, su Londra cominciava ad albeggiare. I cigni bianchi dormivano placidi sulla lucida superficie del lago e il fosco palazzo si stagliava violaceo contro il cielo verde pallido. Pensai a Cyril Graham e gli occhi mi si riempirono di lacrime.

Mi svegliai che era mezzogiorno passato e il sole filtrava attraverso le tende in lunghi raggi inclinati di pulviscolo dorato. Dissi al domestico che non ero in casa per nessuno e, dopo aver consumato una tazza di cioccolata e un *petit pain*, presi dalla mensola la mia copia dei Sonetti di Shakespeare e cominciai a leggerli con attenzione. Ogni poesia sembrava avvalorare la teoria di Cyril Graham. Era come se avessi una mano sul cuore di Shakespeare e ne contassi ogni singolo battito, ogni palpito ardente. Pensavo al bellissimo attore fanciullo e vedevo il suo volto in ogni verso.

Ricordo che due sonetti mi colpirono in modo particolare, il LIII e il LXVII. Nel primo Shakespeare, complimentandosi con Willie Hughes per la versatilità della sua recitazione e la varietà delle parti interpretate – che andavano da Rosalinda a Giulietta, da Beatrice a Ofelia – gli dice:

> Qual è la tua sostanza, di cosa sei fatto,
> Che milioni di strane ombre ti seguono?
> Perché ognuno non ha che un'unica ombra,
> Mentre tu, unico, le proietti tutte.

Erano versi che sarebbero stati incomprensibili a meno che non fossero rivolti a un attore, dato che la parola "ombra" ai tempi di Shakespeare aveva un significato tecnico legato alla scena. "I migliori attori non sono che ombre," dice Teseo degli attori nel *Sogno di una notte di mezza estate*, e ci sono molte altre allusioni simili nella letteratura di quel periodo. Questi Sonetti evidentemente appartenevano alla serie nella quale Shakespeare riflette sulla natura dell'arte della recitazione e sul particolare e raro temperamento essenziale al perfetto attore. "Come mai," chiede Shakespeare a Willie Hughes, "hai così tante personalità?" E poi continua affermando che la sua bellezza è tale che sembra assecondare ogni fase e forma della fantasia, e incarnare ogni sogno dell'immaginazione. Idea, questa, sviluppata ulteriormente nel sonetto successivo dove, iniziando con il sottile pensiero:

> Oh, quanto più bella pare la bellezza
> Se *verità* le dona il suo dolce ornamento!

Shakespeare ci invita a osservare come la veridicità della recitazione e della rappresentazione scenica aumenti l'incanto della poesia, donandole grazia e dando concretezza alla sua forma ideale. Eppure, nel sonetto LXVII, Shakespeare esorta Willie Hughes ad abbandonare il palcoscenico e la sua artificiosità, la falsa mimesi del trucco e del camuffamento, le sue influenze e suggestioni immorali, la sua distanza dalla realtà delle nobili imprese e delle espressioni sincere.

> Ah, perché dovrebbe egli vivere nella corruzione
> E con la sua presenza dar grazia all'empietà,
> Così che il peccato ne trarrebbe vantaggio
> Ornandosi della sua compagnia?
> Perché dovrebbe il trucco contraffare la sua guancia,
> E rubare al suo vivo incarnato una morta apparenza?
> Perché dovrebbe una povera bellezza per vie traverse
> Cercare rose d'ombra, quando la sua rosa è vera?

Può sembrare strano che un grande drammaturgo come Shakespeare, che raggiunse la perfezione come artista e si realizzò come uomo sul piano ideale della composizione teatrale e della recitazione, scrivesse in tali termini del teatro. Ma non dimentichiamoci che, nei sonetti CX e CXI, Shakespeare mostra di essere stanco di quel mondo di marionette e pieno di vergogna per aver fatto di se stesso "un buffone". Particolarmente amaro è il sonetto CXI:

> Oh, per amor mio rimprovera la fortuna,
> La divinità colpevole dei miei errori,
> Che non ha offerto di meglio alla mia vita
> Che rozzi mezzi che insegnano rozze maniere.
> Per questo il mio nome è marchiato,
> E la mia natura quasi degradata:
> Abbi quindi pietà di me e fa' che mi rinnovi.

E altrove ci sono molti altri indizi del medesimo sentimento, com'è noto ai veri studiosi di Shakespeare.

Un punto mi lasciò molto perplesso mentre leggevo i Sonetti, e impiegai giorni ad arrivare alla giusta interpretazione, che lo stesso Cyril Graham sembrava non aver afferrato. Non riuscivo a capire perché Shakespeare desse tanta importanza al matrimonio dell'amico. Egli stesso era reduce da un matrimonio precoce e infelice, ed era strano che spingesse Willie Hughes a commettere lo stesso errore. Il giovane interprete di Rosalinda non aveva nulla da guadagnare dal matrimonio o dalle passioni della vita reale. I primi Sonetti, con i loro strani inviti ad avere figli, stonavano con il resto. Il mistero mi fu chiaro all'improvviso mentre leggevo la curiosa dedica. Come sappiamo, essa dice:

> All'unico ispiratore dei seguenti Sonetti, Mr W.H., ogni felicità e quell'eternità promessa dal nostro immortale poeta, augura colui che speranzoso si avventura nel pubblicarli. T.T.

Alcuni studiosi hanno ipotizzato che la parola *begetter* a inizio dedica indichi semplicemente colui che procurò i Sonetti all'editore Thomas Thorpe; ma questo punto di vista è oggi unanimemente rifiutato e i critici più autorevoli concordano nell'interpretarla nel senso di "ispiratore", secondo una metafora tratta dall'analogia con la realtà fisica. Vedevo ora che la stessa metafora veniva usata dallo stesso Shakespeare in tutto il corso dei Sonetti, e questo mi mise sulla giusta traccia. Alla fine feci la grande scoperta. Il matrimonio che Shakespeare propone a Willie Hughes è un matrimonio con la sua Musa, come viene espresso senz'ombra di dubbio nel sonetto LXXXII. Qui, amareggiato per il tradimento del giovane attore per il quale aveva ideato i suoi maggiori personaggi, che di fatto traevano ispirazione dalla sua bellezza, apre il suo lamento dicendo:

L'ammetto, non eri sposato alla mia Musa.

I figli che gli chiede di procreare non sono figli in carne e ossa, ma piuttosto i figli immortali di una fama imperitura. L'intero ciclo dei primi Sonetti non è altro che l'invito a Willie Hughes a calcare le scene e a diventare attore. Che spreco sarebbe la tua bellezza se non venisse usata, dice il poeta:

Quando quaranta inverni assedieranno la tua fronte
E scaveranno trincee profonde nel campo della tua bellezza,
La superba livrea della tua giovinezza, ora così ammirata,
Sarà un cencio senza valore alcuno:
A chi ti chiederà allora dove sia la tua bellezza,
E il tesoro dei tuoi ardenti giorni,
Dire che sono nei tuoi occhi infossati,
Sarebbe vergogna bruciante e inutile elogio.

Devi creare qualcosa con l'arte: il mio verso "è tuo e da te *nasce*"; ascoltami, dunque, e io "*partorirò* rime eterne che sopravvivranno nei secoli" e popolerai delle forme della tua immagine l'irreale mondo del palcoscenico. Questi figli che avrai – continua – non periranno come quelli mortali, ma tu vivrai in loro e nei miei drammi. Ma:

Crea un altro te stesso, per amor mio,
Affinché la bellezza viva sempre, in te o nei tuoi!

Raccolsi tutti i passi che sembravano corroborare questa lettura e rimasi assai colpito nel constatare quanto in realtà era completa la teoria di Cyril Graham. Vidi anche che era abbastanza facile separare quei versi in cui Shakespeare parla dei Sonetti da quelli che trattano della sua produzione teatrale. Era un punto che era stato completamente trascurato dai critici prima di Cyril Graham, pur essendo uno degli aspetti più rilevanti dell'intera raccolta. Shakespeare era più o meno indifferente nei confronti dei Sonetti. Non aspirava a fondare su di essi la sua fama. Erano, nelle sue stesse parole, la sua "Musa minore", intesi a circolare privatamente tra pochi, pochissimi amici, come conferma Meres. D'altro canto, era perfettamente consapevole dell'alto valore artistico delle sue opere teatrali e mostrava un'orgogliosa fiducia nel proprio genio drammatico. Quando dice a Willie Hughes:

> Ma la tua estate eterna non sfiorirà,
> Né sarà privata della tua grazia;
> Né la Morte si vanterà di averti nella sua ombra,
> Perché in *versi eterni* vincerai il tempo:
> Finché uomini respireranno o occhi vedranno,
> Tutto questo vivrà, e darà vita a te.

L'espressione "versi eterni" allude chiaramente a una delle commedie che gli stava inviando in quel periodo, così come il distico finale esprime la convinzione che le sue opere teatrali saranno sempre rappresentate. Nel suo appello alla Musa Drammatica (sonetti C e CI), troviamo lo stesso concetto:

> Dove sei, Musa, che da tanto dimentichi
> Di parlare di ciò che ti dona forza?
> Consumi il tuo furore in qualche inutile canto,
> Bruciando la tua vena per dar luce a temi indegni?

esclama il poeta, che continua poi a rimproverare la Signora della Tragedia e della Commedia di "trascurare la verità infusa di bellezza", e dice:

Poiché egli non ha bisogno di lode, tu ammutolisci?
Non scusare così il tuo silenzio, perché da te dipende
La sua vita di là dalla tomba dorata,
E le lodi dell'età venture.
Fa' dunque il tuo lavoro, Musa; t'insegnerò
A mostrarlo all'avvenire come ora appare.

Tuttavia, è forse nel sonetto LV che Shakespeare esprime pienamente questo concetto. Pensare che la "possente rima" del secondo verso si riferisca al sonetto stesso significa fraintendere completamente l'intenzione di Shakespeare. Mi sembrava piuttosto, visto il tono generale del sonetto, che si alludesse a un dramma specifico, e precisamente a *Romeo e Giulietta*:

Né il marmo, né i dorati monumenti
Dei principi sopravvivranno a questa possente rima,
Maggior splendore serberai in questi metri
Che sotto una pietra insozzata dal tempo.
Quando guerre rovinose abbatteranno le statue,
E tumulti sradicheranno le muraglie,
Né la spada di Marte né il rapido fuoco della guerra
Bruceranno l'impronta vivente della tua memoria.
Contro la morte e ogni nemico oblio
Tu incederai; e la tua lode troverà sempre spazio
Anche agli occhi delle generazioni
Che consumeranno il mondo fino alla rovina.
Così fino al Giudizio, quando tu stesso risorgerai
Sarai vivo in questa poesia, e negli occhi degli amanti.

Fu anche impressionante notare come, qui come altrove, Shakespeare prometteva a Willie Hughes l'immortalità in una forma che attirava l'occhio umano, cioè in forma spettacolare, in una rappresentazione da guardare.

Per due settimane lavorai sodo ai Sonetti, senza uscire quasi mai di casa e rifiutando ogni invito. Ogni giorno scoprivo qualcosa di nuovo e Willie Hughes diventò una specie di presenza spirituale, una personalità che permeava ogni cosa. Mi sembrava quasi di vederlo nella penombra della mia stanza, tanto efficacemente Shakespeare l'aveva descritto, con i suoi capelli biondi, la tenera grazia di fiore, i profondi occhi sognanti, le delicate e agili membra e le bianche mani di giglio. Il suo stesso nome mi affascinava. Willie Hughes! Willie Hughes! Com'era musicale! Sì, chi altri poteva essere l'amico-amica della passione di Shakespeare, il signore del suo amore cui era legato in vassallaggio, il delicato favorito del piacere, la rosa del mondo intero, l'araldo di primavera ornato della fiera livrea della gioventù, l'adorabile ragazzo che era dolce musica all'orecchio e la cui bellezza era la veste stessa del cuore di Shakespeare, così come la pietra angolare della sua potenza drammatica? Come sembrava amara adesso la tragedia del suo tradimento e della sua vergogna! Vergogna che rese dolce e amabile[1] con la semplice magia della sua personalità, ma che era pur sempre vergogna. Eppure, se Shakespeare l'aveva perdonato, non dovevamo perdonarlo anche noi? Non era compito mio sondare il mistero del suo peccato.

Il suo abbandono del teatro di Shakespeare era un'altra questione, sulla quale indagai a lungo. Alla fine giunsi alla conclusione che Cyril Graham si era sbagliato a ritenere che il drammaturgo rivale del sonetto LXXXVII fosse Chapman. Era ovvio che si alludeva piuttosto a Marlowe. All'epoca in cui furono scritti i Sonetti, un'espressione come "la gonfia vela superba del suo gran verso" non poteva riferirsi all'opera di Chapman, per quanto fosse applicabile allo stile delle sue ultime commedie giacobiane. No: Marlowe era chiaramente il drammaturgo rivale di cui Shakespeare parlava in termini tanto lusinghieri, e quell'

> Affabile fantasma familiare
> Che ogni notte lo beffa argutamente

[1] Qui e sopra, il riferimento è ai sonetti XX, 2, XXVI, 1, CXXVI, 9, CIX, 14, I, 10, II, 3, VIII, 1, XXII, 6, XCV, 1. [*N.d.T.*]

era il Mefistofele del suo *Dottor Faustus*. Senza dubbio Marlowe, affascinato dalla bellezza e dalla grazia del giovane attore, lo indusse a lasciare il Blackfriars Theatre per affidargli la parte di Gaveston nel suo *Edoardo II*. Che Shakespeare avesse il diritto legale di trattenere Willie Hughes nella propria compagnia, è evidente nel sonetto LXXXVII, dove dice:

> Addio! Sei troppo prezioso per appartenermi,
> E probabilmente sai quanto vali;
> La *carta del tuo valore* ti dà la libertà,
> I miei *diritti* su di te sono tutti scaduti.
> Perché come ti tengo, se non per tua concessione?
> E di tanta ricchezza dov'è il mio merito?
> Mi manca ragione di un tal dono,
> *E così il contratto mi è stato restituito.*
> Ti desti a me ignorando i tuoi pregi,
> O dandoti ti ingannasti sul mio conto;
> Così il tuo gran dono, frutto di un errore,
> Riporti a casa, ravvedendoti.
> Ti ho avuto, quindi, nell'illusione di un sogno,
> Re nel sonno ma, al risveglio, più nulla.

Ma non avrebbe trattenuto con la forza colui che non poteva trattenere con l'amore. Willie Hughes entrò a far parte della compagnia di Lord Pembroke e forse, nel cortile della taverna del Toro Rosso, recitò la parte del delicato favorito di re Edoardo. Pare che alla morte di Marlowe fosse tornato da Shakespeare che, incurante dell'opinione dei colleghi, non esitò a perdonare l'impudenza e il tradimento del giovane attore.

Come ne aveva descritto bene, d'altronde, il temperamento! Willie Hughes era uno di quelli

> Che non fanno ciò che mostrano di fare
> Che, commovendo gli altri, restano di pietra.

Sapeva recitare parti d'amore, ma senza provare alcunché; imitare la passione, ma senza sentirla.

In molti la storia di un cuore falso
È scritta in sguardi, smorfie e strane rughe;

ma così non era per Willie Hughes. "Il cielo," dice
Shakespeare in un sonetto di folle idolatria,

Il cielo creandoti decretò
Che sul tuo volto il dolce amore dimorasse sempre;
Quali siano i tuoi pensieri o i moti del tuo cuore,
Il tuo sguardo non esprimerà che dolcezza.

Nella sua "mente incostante" e nel "falso cuore" era
facile scorgere l'insincerità e l'artificio che in un modo o nell'altro sembrano inseparabili dal temperamento artistico, come pure nell'amore per le lodi e il
riconoscimento immediato che caratterizza tutti gli
attori. Eppure, più fortunato in questo di tutti gli altri, Willie Hughes avrebbe conosciuto l'immortalità.
Inseparabilmente legato ai drammi di Shakespeare,
sarebbe vissuto in essi.

Il tuo nome avrà d'ora innanzi vita immortale,
Anche se, una volta andato, io morirò al mondo intero:
La terra non può darmi che una comune tomba,
Mentre tu sarai sepolto negli occhi degli uomini.
Tuo monumento sarà il mio gentil verso,
Che occhi non ancora creati leggeranno,
E lingue future reciteranno il tuo essere,
Quando ogni vivente sarà morto.

C'erano innumerevoli accenni, poi, all'impatto che
Willie Hughes aveva sul pubblico – gli "ammiratori,"
come li chiama Shakespeare. Ma forse la descrizione
migliore della sua meravigliosa padronanza dell'arte
drammatica si ritrova nel *Lamento di un'innamorata*,
dove Shakespeare dice di lui:

La sua natura ricca di sfumature
Con maestria riceve le forme più strane,
Rossori brucianti, o fiotti di lacrime,

O subitanei pallori, ed egli prende e lascia,
A seconda del caso, come meglio si adatta,
Di arrossire ai discorsi, o piangere di dolore,
O impallidire e svenire dinnanzi a tragedie.

***

Così sulla punta della sua docile lingua,
Ogni argomento, ogni questione profonda,
Ogni domanda sollecita e solida ragione
Al suo volere ancor nascevano e morivano,
Per far ridere chi piange e pianger chi ride.
Con padronanza di lingua e gran destrezza
Catturava ogni passione a suo piacimento.

Una volta mi sembrò di aver trovato una traccia affidabile di Willie Hughes nella letteratura elisabettiana. In una vivida descrizione degli ultimi giorni del grande Essex, il suo cappellano, Thomas Knell, narra che la sera prima di morire il conte "chiese a William Hewes, il suo musico, di cantare accompagnandosi sul verginale. 'Suona la mia canzone,' gli disse, 'perché anch'io la canti.' E così fece con grande gioia, non come il cigno che piange la sua morte con il lamento e lo sguardo volto a terra, ma come la dolce allodola, levando mani e occhi verso Dio, innalzandosi nei cieli di cristallo per raggiungere l'empireo con il suo canto infaticabile". Sicuramente il giovane che suonò il verginale al padre morente della Stella cantata da Sidney, altri non era che il Will Hews a cui Shakespeare dedicò i suoi Sonetti e che era egli stesso, ci dice il poeta, "dolce musica all'orecchio". Eppure Lord Essex morì nel 1576, quando Shakespeare aveva solo dodici anni. Era dunque impossibile che il suo musico fosse il Mr W.H. dei Sonetti. Forse il giovane amico di Shakespeare era il figlio del suonatore di verginale? Comunque, era già qualcosa aver scoperto che Will Hewes era un nome elisabettiano e che tale nome pareva strettamente connesso con la musica e il teatro. La prima attrice inglese si chiamava Margaret Hews, la bellissima donna amata follemente dal principe Rupert. Niente di più probabile che oltre a lei e al musico ci fosse anche il giovane attore delle commedie shakespeariane. Ma dov'erano le prove, i collegamenti? Ahimè! Non riuscivo a trovarli. Mi sembrava di essere a un passo dall'assoluta conferma, ma di non riuscire mai ad afferrarla.

Dalla vita di Willie Hughes passai presto a riflettere sulla sua morte. Mi chiedevo spesso che fine avesse fatto.

Forse era stato tra gli attori inglesi che nel 1604 salparono alla volta della Germania per recitare dinnanzi al granduca Enrico Giulio di Brunswick, egli stesso drammaturgo di non poco valore, e alla corte dell'eccentrico Elettore di Brandeburgo, talmente ammaliato dalla bellezza che si diceva avesse comprato per il suo peso in ambra il giovane figlio di un mercante greco di passaggio. In onore del proprio schiavo, l'Elettore aveva dato feste e spettacoli durante tutta la terribile carestia del 1606-07, quando la gente moriva di fame per le strade della città e per oltre sette mesi non cadde una goccia di pioggia. Sappiamo inoltre che *Romeo e Giulietta* fu rappresentato a Dresda nel 1613 insieme ad *Amleto* e *Re Lear*, e fu certo a Willie Hughes in persona che, nel 1617, un attendente dell'ambasciatore inglese consegnò la maschera mortuaria di Shakespeare, pallido ricordo del grande poeta che l'aveva amato con tanto slancio. C'era qualcosa di assai plausibile nell'idea che il giovane attore la cui bellezza era stata un elemento così vitale nel realismo e romanticismo shakespeariani, fosse stato il primo a portare in Germania il seme della nuova cultura, facendosi precursore dell'*Aufklärung*, o Illuminismo del Settecento, quello splendido movimento che, pur iniziato da Lessing e da Herder e portato alla sua massima perfezione da Goethe, venne promosso in misura non esigua da un giovane attore, Friedrich Schroeder. Fu lui a destare la coscienza popolare e, con le passioni simulate e gli artifici mimetici del teatro, a mo-

strare l'intimo, vitale legame tra vita e letteratura. Se
così fu – e di sicuro non v'erano prove contrarie – non
era improbabile che Willie Hughes fosse tra quegli attori inglesi (*mimae quidam ex Britannia*, li definisce
una vecchia cronaca) che furono trucidati a Norim-
berga durante un'improvvisa sollevazione popolare, e
vennero poi sepolti in un piccolo vigneto fuori città da
alcuni giovani "che avevano apprezzato le loro recite
e alcuni dei quali avevano provato a farsi iniziare ai
misteri della nuova arte". Non vi era senz'altro luogo
più adatto per colui di cui Shakespeare diceva "sei tutta la mia arte", che questo vigneto fuori le mura. Non
fu infatti dalle pene di Dioniso che sorse la Tragedia?
Il riso leggero della Commedia, con la sua allegria spensierata e le pronte battute, non si udì per la prima volta sulle labbra dei vignaioli siciliani? E non furono le
macchie rosse e violacee del mosto sui volti e sui corpi a ispirare per la prima volta la seduzione e il fascino del travestimento, il desiderio di camuffarsi, il valore dell'obiettività che già si manifestava nei grezzi
esordi dell'arte? Ad ogni modo, dovunque egli giaccia
– se nel piccolo vigneto alle porte della cittadina goti-
ca o in qualche cupo cimitero londinese, tra il fra-
stuono e il trambusto della nostra grande città – nessun monumento sontuoso veglia il suo riposo. La sua
vera tomba, come aveva previsto Shakespeare, sono i
versi del poeta, il suo vero monumento l'immortalità
del teatro. Così era successo ad altri la cui bellezza aveva dato un nuovo impulso creativo alla loro epoca. Il
corpo d'avorio dello schiavo di Bitinia marcisce nel li-
mo verdastro del Nilo e sulle gialle colline del Cera-
mico sono sparse le ceneri del giovane ateniese. Ma
Antinoo continua a vivere nella scultura, e Carmide
nella filosofia.

III

Dopo tre settimane decisi di insistere con Erskine affinché rendesse giustizia alla memoria di Cyril Graham e trasmettesse al mondo la sua meravigliosa interpretazione dei Sonetti – l'unica in grado di spiegare in maniera esauriente il problema. Mi rincresce dire che non possiedo copie della mia lettera, né sono riuscito a recuperare l'originale; ma ricordo che affrontai la questione nel dettaglio, riempiendo pagine e pagine in cui ripetevo con ardore le ragioni e le prove suggeritemi dal mio studio. Non stavo semplicemente collocando Cyril Graham al posto che gli spettava nella storia della letteratura, ma stavo anche riscattando l'onore dello stesso Shakespeare dalla tediosa memoria di un banale intrigo.

In realtà, non appena ebbi spedito la lettera, fui colto da una curiosa reazione. Mi sembrava di non riuscire più a credere nella teoria di Willie Hughes, come se qualcosa mi avesse abbandonato, lasciandomi completamente indifferente all'intera vicenda. Cos'era successo? Difficile dirlo. Forse, cercando il modo di dar voce a una passione, avevo esaurito la passione stessa. Le forze emotive, come quelle fisiche, hanno limiti precisi. Forse il semplice sforzo di convincere qualcuno di una teoria comporta una sorta di rinuncia al proprio potere di credere. O forse mi ero semplicemente stancato dell'argomento e, esaurito l'entusiasmo, non mi restava che la ragione e il suo freddo giudizio. Comunque sia, e non posso pretendere di spiegarlo, non c'è dubbio che all'improvviso Willie Hughes diventò per me non più che un mito, un futile sogno, l'infantile fantasia di un giovane che, come accade spesso agli spiriti ardenti, era più ansioso di convincere gli altri che di essere convinto lui stesso.

Avendo scritto nella lettera cose molto ingiuste e offensive nei confronti di Erskine, decisi di andarlo a trovare al più presto e di chiedergli scusa per il mio comportamento. La mattina seguente mi recai quindi a Birdcage Walk, dove lo trovai in biblioteca, seduto davanti al falso ritratto di Willie Hughes.

"Mio caro Erskine!" esclamai. "Sono venuto a chiederti scusa."

"Chiedermi scusa?" disse. "E perché?"

"Per la mia lettera."

"Non c'è niente di cui tu debba pentirti," disse. "Al contrario, mi hai reso il miglior favore che potessi farmi: mi hai dimostrato che la teoria di Cyril Graham è del tutto fondata."

"Non mi dirai che adesso credi in Willie Hughes?" esclamai.

"Perché no?" ribatté. "Me l'hai provato. Credi che non sappia apprezzare il valore dell'evidenza?"

"Ma quale evidenza!" sbottai, lasciandomi cadere su una poltrona. "Quando ti ho scritto ero in balia di uno sciocco entusiasmo. Ero commosso dalla vicenda della morte di Cyril Graham, affascinato dalla sua teoria romantica, elettrizzato dal fascino e dalla novità dell'idea. Ora so che quella teoria si basa su un'illusione. L'unica prova dell'esistenza di Willie Hughes è il dipinto che hai di fronte, e quel dipinto è un falso. Non farti trasportare dal sentimento. Qualunque cosa possa dire la fantasia sulla teoria di Willie Hughes, si scontrerà sempre con la ragione."

"Non ti capisco," disse Erskine, guardandomi meravigliato. "Ma come, sei stato tu a convincermi con la tua lettera che Willie Hughes esisteva davvero. Perché hai cambiato idea? Mi prendi in giro?"

"Non so spiegartelo," risposi, "ma ora so che non

si può dire nulla a favore dell'interpretazione di Cyril Graham. I Sonetti sono indirizzati a Lord Pembroke. Per amor del cielo, non perdere tempo nell'assurdo tentativo di scoprire un giovane attore elisabettiano che non è mai esistito, e di mettere al centro del grande ciclo dei Sonetti di Shakespeare un fantoccio immaginario."

"Vedo che non hai capito la teoria," rispose.

"Non l'ho capita!" gridai. "Caro Erskine, mi sembra quasi di averla inventata. Di sicuro la mia lettera ti ha dimostrato che non solo ho approfondito l'intera questione, ma che ho anche fornito prove di ogni genere. L'unico difetto della teoria è che presuppone l'esistenza della persona la cui esistenza stessa è da dimostrare. Se ammettiamo che nella compagnia di Shakespeare c'era un giovane attore chiamato Willie Hughes, non è difficile farne l'oggetto dei Sonetti. Ma poiché sappiamo che non c'erano attori con questo nome nella compagnia del Globe Theatre, è inutile continuare la ricerca."

"Ma è proprio questo che non sappiamo," osservò Erskine. "È vero che il suo nome non compare nella lista della prima edizione dei Sonetti ma, come diceva Cyril, questa è una prova a favore e non contro l'esistenza di Willie Hughes, se ricordiamo la slealtà con cui abbandonò Shakespeare per un drammaturgo rivale."

Discutemmo per ore sull'argomento, ma niente di ciò che dissi poté scuotere Erskine dalla sua fede nell'interpretazione di Cyril Graham. Mi disse che intendeva dedicare la vita a dimostrare la teoria e che era determinato a rendere giustizia alla memoria dell'amico. Lo pregai, sbeffeggiai, implorai, ma fu tutto inutile. Alla fine ci salutammo, non proprio con astio, ma sicuramente un'ombra era scesa tra di noi. Se lui mi considerava superficiale, io lo consideravo sciocco. Quando andai a trovarlo di nuovo, il suo domestico mi disse che era partito per la Germania.

Due anni dopo, mentre mi recavo al club, il portiere all'ingresso mi porse una lettera con un francobollo straniero. Era di Erskine e proveniva dall'Hôtel d'Angleterre di Cannes. La lessi con un senso di terrore, anche se non credevo che sarebbe stato così folle da mettere in atto il suo proposito. Il succo della lettera era che Erskine aveva cercato in ogni modo di verificare la teoria di Willie Hughes e non c'era riuscito, e che poiché Cyril Graham aveva sacrificato la vita a tale teoria, anche lui era determinato a fare lo stesso. Le parole conclusive dicevano: "Credo ancora in Willie Hughes e, quando riceverai questa lettera, mi sarò tolto la vita per amore di Willie Hughes e per amore di Cyril Graham, che ho spinto alla morte con il mio scetticismo superficiale e la mia stupida incredulità. Un giorno la verità ti è stata rivelata, ma l'hai respinta. Ti giunge ora macchiata del sangue di due vite umane. Non voltarle le spalle".

Fu un momento terribile. Provavo un dolore atroce, ma ancora stentavo a crederci. Morire per delle convinzioni religiose è il peggior uso che un uomo possa fare della propria vita, ma morire per una teoria letteraria! Mi sembrava impossibile.

Guardai la data. La lettera era stata scritta una settimana prima. Disgraziatamente il caso aveva voluto che non mi recassi al club per parecchi giorni, o l'avrei ricevuta in tempo per salvarlo. Forse non era troppo tardi. Tornai a casa, feci le valigie e partii di notte da Charing Cross. Fu un viaggio terribile. Mi sembrava di non arrivare mai.

Giunto a destinazione, andai all'Hôtel d'Angleterre. Mi dissero che Erskine era stato sepolto due giorni prima nel cimitero inglese. C'era qualcosa di orribilmente grottesco in tutta quella tragedia. Dissi una sfilza di cose sconnesse e la gente nella hall mi guardò incuriosita.

All'improvviso Lady Erskine, in lutto stretto, attraversò il vestibolo. Vedendomi si avvicinò, mormorò qualcosa sul suo povero figlio e scoppiò in lacrime. La condussi nel suo salotto. Un signore anziano la stava aspettando. Era il medico inglese.

Parlammo a lungo di Erskine, ma non dissi nulla del motivo che l'aveva spinto al suicidio. Era chiaro che non aveva rivelato a sua madre le ragioni che l'avevano portato a un gesto tanto folle e fatale. Alla fine Lady Erskine si alzò e disse: "George le ha lasciato un ricordo. Era una cosa a cui teneva moltissimo. Vado a prenderla".

Non appena fu uscita, mi girai verso il dottore e gli dissi: "Che colpo terribile dev'essere stato per Lady Erskine! Mi sorprende che lo regga così bene".

"Oh, lo sapeva da mesi," rispose.

"Lo sapeva da mesi!" gridai. "Ma perché non l'ha fermato? Perché non l'ha fatto sorvegliare? Doveva essere impazzito."

Il medico mi guardò. "Non capisco cosa intende dire."

"Come!" esclamai. "Se una madre sa che suo figlio sta per suicidarsi..."

"Suicidarsi!" rispose. "Il povero Erskine non si è suicidato. È morto di tisi. È venuto qua a morire. Appena l'ho visto, ho capito che non ce l'avrebbe fatta. Un polmone era quasi andato e l'altro era gravemente malato. Tre giorni prima di morire mi ha chiesto se c'era ancora qualche speranza. Gli ho detto francamente che non ce n'erano e che gli restavano solo pochi giorni di vita. Ha scritto alcune lettere e, rassegnato, è rimasto cosciente fino alla fine."

In quel momento Lady Erskine entrò nella stanza con il fatale ritratto di Willie Hughes. "Prima di morire, George mi ha pregato di darle questo," disse. Come lo presi, le sue lacrime mi caddero sulla mano.

Il dipinto è ora appeso nella mia biblioteca, dove è molto ammirato dai miei amici artisti. Hanno deciso che non è un Clouet, ma un Ouvry. Non mi sono mai preso la briga di raccontare loro la verità. Ma a volte, quando lo guardo, penso che ci sarebbe davvero molto da dire sulla teoria che vede in Will Hughes il protagonista dei Sonetti di Shakespeare.

Indice